Depressione e qualità di vita nel trapianto renale

Patrícia Madruga Rêgo Barros
Luciane S. de Lima

Depressione e qualità di vita nel trapianto renale

Un'analisi dei pazienti prima e dopo il trapianto

ScienciaScripts

This book is a translation from the original published under ISBN 978-613-9-60334-3.

Publisher:
Sciencia Scripts
is a trademark of
Dodo Books Indian Ocean Ltd. and OmniScriptum S.R.L publishing group

120 High Road, East Finchley, London, N2 9ED, United Kingdom
Str. Armeneasca 28/1, office 1, Chisinau MD-2012, Republic of Moldova, Europe

ISBN: 978-620-7-27313-3

SOMMARIO

SOMMARIO

L'insufficienza renale cronica (IRC) è un deterioramento progressivo e irreversibile della funzione renale, in cui viene meno la capacità dell'organismo di mantenere l'equilibrio metabolico e idroelefonico. Il suo esordio è insidioso e le cause principali sono l'ipertensione e il diabete mellito [12]. Il paziente con CRF è limitato a due tipi di trattamento: la terapia renale sostitutiva o il trapianto, modalità quest'ultima che offre una migliore qualità di vita, una possibile riduzione del rischio di mortalità [234] e un costo inferiore rispetto alla dialisi[2]. L'evoluzione del trapianto d'organo ha rappresentato un importante progresso tecnico e scientifico, migliorando in modo significativo la sopravvivenza dei pazienti renali cronici e di altre persone affette da malattie croniche. Tuttavia, importanti aspetti coinvolti in questo contesto, come quelli emotivi e psicosociali, sono stati trascurati[5]. Tuttavia, questi aspetti hanno acquisito importanza nella produzione scientifica nazionale e internazionale e hanno avuto un impatto positivo sulla gestione terapeutica dei pazienti [5678910]. L' 'attenzione agli aspetti psicosociali è fondamentale per il successo del trattamento"[6-11] "in quanto interferiscono con la percezione e la valutazione della malattia, l'aderenza al trattamento e la qualità di vita dei pazienti con insufficienza renale cronica"[11]. Considerando l'importanza dell'argomento per i pazienti con malattia renale cronica candidati al trapianto di rene e per i pazienti post-trapianto di rene, nel 2007 è stato condotto uno studio sulla depressione e sulla qualità della vita nei pazienti pre- e post-trapianto di rene seguiti presso l'ambulatorio per il trapianto di rene dell'Hospital das Clinicas dell'Università Federale di Pernambuco (HC-UFPE). Questa ricerca è sfociata in due articoli che costituiscono la presente tesi di laurea magistrale. Il primo è una revisione della letteratura sulla qualità della vita (QoL) e su alcuni aspetti storici, etici, legali ed emotivi relativi al trapianto di organi e tessuti, utilizzando le banche dati Medline, Scielo e Lilacs, con i seguenti descrittori: depressione, qualità della vita, trapianto di organi, malattia cronica. Sono stati utilizzati anche libri di testo e articoli citati nei riferimenti ottenuti nella revisione. Il secondo, sotto forma di articolo originale, si proponeva di analizzare l'insorgenza della depressione e la qualità della vita nei pazienti renali pre- e post-trapianto seguiti presso l'ambulatorio per i trapianti renali di HC-UFPE tra luglio e dicembre 2007.

Parole chiave: depressione, qualità di vita, trapianto d'organo, malattia cronica

RIFERIMENTI

1   Brunner LS, Suddart, DS. Nuova pratica infermieristica. 5ª ed. Rio de Janeiro: Interamericana; 1994.

2   Cunha CB, Leon ACB, Schramm JMA, Carvalho MS, Paulo Júnior RBS, Chain R. 'Time to transplantation' and survival in patients with chronic renal failure in the State of Rio de Janeiro, Brazil, 1998-2002. Cad saúde pública.2007;23(24):805-13.

3   Castro M, Caiuby AVS, Draibe SA, Canziani MEF.Qualità della vita dei pazienti con insufficienza renale cronica in emodialisi valutata con lo strumento SF-36 generico.Rev Assoc Med Bras.2003;49(3):245-9.

4   Riella MC. Insufficienza renale cronica: fisiopatologia dell'uremia. In: Riella MC. Principi di nefrologia e distobios hi^oeletroliticos. 3ª ed. Rio de Janeiro: Guanabara Koogan; 1996.cap.36,p.475.

5   Pietrovsk V, Dall'Agnol CM. Situazioni significative nello spazio-contesto dell'emodialisi: cosa dicono gli utenti del servizio? Rev bras enferm.2006; 59(5):630-5.

6   Contel JOB, Sponholz Jr A, Torrano-Masetti LM, Almeida AC, Oliveira EA, Jesus JS, et al. Aspetti psicologici e psichiatrici del trapianto di midollo osseo. Medicina (Ribeirão Preto). 2000;33(3):294-311.

7   Mendes AC, Shiratori K. Le percezioni dei pazienti sottoposti a trapianto di rene. Nursing (São Paulo).2002;5(44):15-22.

8   Virzi A, Signorelli MS, Veroux M, Giammarmsi G, Maugeri S, Nicoletti A, et al. Depressione e qualità di vita nel trapianto renale da vivente.Transplant proc.2007;39(6):1791-3.

9   Shah VS, Ananth A, Sohal GK, Bertges-Yost W, Eshelman A, Parasuraman RK, et al. Qualità della vita e fattori psicosociali nei riceventi di trapianto renale. Transplant proc. 2006;38(5): 1283-5.

10 Baines LS, Joseph JT, Jindal RM ve ark.Emotional issues after kidney transplantation: a prospective psychotherapeutic study.Clinfransplant.2002;16(6):450-4.

11 Almeida AM, Meleiro AMAS. Depressione e insufficienza renale cronica. J bras nefrol. 2000;22(1):192-200.D

CAPITOLO 1

RASSEGNA ARTICOLO

Trapianto di organi e tessuti: aspetti storici, etico-legali, emotivi e ripercussioni sulla qualità della vita

Problemi legati al trapianto di organi e tessuti: aspetti storici, etici, legali, emotivi e la loro influenza sulla qualità della vita.

Patrícia Madruga Rêgo Barros, studentessa di Master in Scienze della Salute presso l'OTPE, specializzata in infermieristica nefrologica e infermiera presso l'Hospital das Clinicas, Recife-PE, Brasile.
Luciane Soares de Lima, dottore di ricerca in Scienze Pneumologiche presso UNIFESP/EPM e ProL. Professore a contratto presso il Dipartimento di Infermieristica dell'OTPE.

Indirizzo per la corrispondenza:
Patrícia Madruga Rêgo Barcos
Rua Capitão Ponciano, 63 Barco CEP 50780-040 Recife-PE, Brasile.
Tel: (081) 91427665; e - mail: patricia-ma^ga@hotmail.com

Sintesi

I progressi tecnologici, essenziali per l'umanità, hanno contribuito notevolmente allo sviluppo dell'assistenza sanitaria. Tuttavia, l'umanizzazione rimane una sfida, forse perché coinvolge aspetti emotivi e psicosociali che sono fondamentali per il successo di qualsiasi tipo di trattamento. I trapianti di organi e tessuti, parte integrante di questa evoluzione tecnico-scientifica, sono diventati una valida opzione e spesso sono l'unica alternativa possibile per i malati cronici. Nonostante i progressi del trattamento dialitico, il trapianto di rene è stato riconosciuto come l'opzione migliore, al fine di fornire una migliore qualità di vita ai pazienti con insufficienza renale cronica. Tuttavia, è bene sottolineare che, come ogni trattamento, il trapianto ha delle implicazioni che devono essere discusse per evitare frustrazioni e/o complicazioni emotive e psicologiche ai pazienti che si sottopongono alla procedura. Lo scopo di questo articolo è quello di presentare la produzione scientifica sulla qualità della vita e alcuni degli aspetti storici, etici, legali ed emotivi relativi ai trapianti di organi e tessuti. Le ricerche sono state effettuate sui database Medline, Scielo e Lilacs, coinvolgendo persone adulte, utilizzando i seguenti descrittori: depressione, qualità della vita, trapianto d'organo e malattia cronica, oltre a libri di testo. La produzione scientifica ricercata ha evidenziato due aspetti rilevanti: Il primo, la

4

significativa evoluzione tecnologica e le politiche pubbliche finalizzate al trapianto di organi e tessuti in Brasile; il secondo, invece, mostra una scarsa considerazione degli aspetti emotivi e sociali, con ripercussioni psicologiche e sulla qualità di vita dei pazienti. Abbiamo anche osservato una sproporzione tra il numero di organi utilizzabili per il trapianto e la crescente lista d'attesa, legata alla mancata notifica dei casi di morte cerebrale e all'approccio alla richiesta di donazione, con il risultato di un elevato numero di decessi ancora in lista d'attesa. Inoltre, è emerso che la popolazione non conosce il concetto di morte cerebrale e ha paura del commercio di organi, a dimostrazione della mancanza di investimenti per chiarire questi aspetti e, di conseguenza, della necessità di campagne educative per colmare questa lacuna.

Parole chiave: depressione, qualità di vita, trapianto d'organo, malattia cronica.

1.1 Introduzione

Lo sviluppo dei trapianti e la loro applicazione nel trattamento delle malattie terminali di alcuni organi è diventato uno dei temi di maggior successo nella storia della medicina. I progressi nella gestione immunologica, nelle tecniche chirurgiche e nella terapia intensiva, così come l'introduzione di farmaci immunosoppressivi più moderni e di soluzioni di conservazione più efficienti, hanno contribuito a migliorare i risultati dei trapianti[1] .

Tuttavia, è importante ricordare che gli sviluppi tecnico-scientifici non possono sostituire gli aspetti emotivi e psicosociali nella conduzione dei processi terapeutici[2] . Tuttavia, questo tema è stato sempre più valorizzato nella ricerca scientifica, con un maggior numero di studi che si occupano di questi aspetti, considerati causa o fattore di miglioramento dei problemi di salute[3 ^' ' ' ' .5678]

Anche gli aspetti etici sono molto importanti in questo contesto. Il trapianto, come ogni progresso tecnico-scientifico che apporta benefici significativi, comporta anche questioni etiche che dovrebbero essere discusse[9] .

Per quanto riguarda i pazienti che hanno subito un trapianto di rene, nella pratica quotidiana in un'unità di trapianto, si percepiscono sentimenti e atteggiamenti quali irritabilità, rabbia, senso di colpa, rammarico, tristezza, ansia; si osservano anche aggressività verbale e fisica, evitamento dell'ospedale, abbandono delle cure, verbalizzazione del desiderio di morire e tentativi di suicidio. Si ritiene che questi sentimenti e comportamenti possano essere legati a una gestione inadeguata nella fase preoperatoria dei trapianti, così come durante la degenza, richiedendo un approccio più umanistico a questi pazienti '[410] .

La decisione di sottoporsi a un trapianto d'organo non è facile e implica una serie di aspetti che devono essere presi in considerazione, come le caratteristiche socioeconomiche, cognitive, culturali, ideologiche e religiose, nonché la valutazione delle paure, dei dubbi, dei desideri e delle prospettive di ciascun paziente, da parte di un'équipe multiprofessionale che guarda all'individuo e non solo alla malattia[2101112] .

La combinazione di questi fattori può avere un impatto positivo o negativo sulla qualità della vita dei pazienti, dato che il loro significato è diverso per ogni individuo[13, 14-15]

Ciò che preoccupa è la mancanza di conoscenza o la disinformazione del paziente sull'intervento che sta per subire: il rischio dell'intervento, le complicanze cliniche e chirurgiche nel periodo post-operatorio, la possibilità di perdere l'innesto, la necessità occasionale di sedute di emodialisi (anche dopo il trapianto), le restrizioni dietetiche, il numero di farmaci, il frequente monitoraggio ambulatoriale, l'attesa per l'assistenza, la necessità di esami di laboratorio periodici, il ricovero ospedaliero talvolta frequente, nonché la limitazione dei compagni[15] . Sono molti gli aspetti che il paziente e la sua famiglia devono assimilare e questi improvvisi cambiamenti nella loro vita devono essere valutati dall'équipe sanitaria[10] .

Lo scopo di questo articolo è quello di presentare la produzione scientifica sulla qualità della vita e gli aspetti storici, etici, legali ed emotivi che circondano i trapianti di organi e tessuti.

1.2 Metodo

Sono state consultate le banche dati Medline, Scielo e Lilacs, che hanno coinvolto persone adulte, utilizzando i seguenti descrittori per la ricerca: depressione, qualità della vita, trapianto d'organo e malattia cronica, nonché consultando libri di testo.

1.3 Aspetti storici

Il trapianto di organi è stato oggetto di numerosi tentativi nel corso dei secoli, ma senza alcuna possibilità di successo, data la scarsa conoscenza dei fenomeni biologici coinvolti nell'interazione tra il ricevente e l'innesto \.[16

In letteratura si trovano notizie antiche sull'argomento, risalenti alla medicina ayurvedica in India e in Grecia, ma è stato durante la Seconda Guerra Mondiale che sono state definite le principali basi biologiche del trapianto, note come "leggi del trapianto". In quel periodo, Peter Medawar e Thomas Gibson effettuarono esperimenti di trapianto di pelle su individui con ustioni causate dalla guerra e descrissero il processo di rigetto e di non rigetto quando si utilizzavano innesti da un altro individuo e dallo stesso individuo, rispettivamente \.[16

Nel 1890 fu effettuato il primo autotrapianto di tessuto osseo dallo scozzese Macewen[17].

Solo nel 1905 iniziarono i primi trapianti sperimentali di organi e tessuti, con il francese Aléxis Carrel come mentore, che nel 1912 ricevette il premio Nobel per il suo lavoro[18]. Nel 1954 fu descritto il primo trapianto di rene tra gemelli univitellini, effettuato con successo da Joseph Murray[17].

Nel 1963 è stato tentato il primo trapianto di fegato umano negli Stati Uniti, a Denver, da Thomas Starzl. Il paziente era un bambino di tre anni con atresia biliare, che morì durante l'intervento a causa di alterazioni della coagulazione del sangue. Il secondo tentativo ha avuto luogo mesi dopo, eseguito dallo stesso chirurgo. Questa volta su un uomo, che morì venti giorni dopo l'intervento per tromboembolia[19].

Dal 1963 al 1967 sono stati effettuati diversi tentativi in diversi Paesi e in quest'ultimo anno è stato ottenuto il primo risultato favorevole del trapianto di fegato in una bambina di due anni affetta da colangiocarcioma. La paziente morì però tredici mesi dopo, a causa delle metastasi della malattia originaria[19 \ Anche nel 1967 furono presentati i primi quattro sopravvissuti a un trapianto di fegato, con l'obiettivo di ottenere il sostegno dell'opinione pubblica per incoraggiare la donazione di organi[19].

Sempre in questo anno, fu descritto il primo trapianto di cuore da parte di Bamard e dei suoi collaboratori al Groote Schuur Hospital di Città del Capo, in Sudafrica, in un paziente con insufficienza ventricolare sinistra. Un anno dopo i primi trapianti (di cuore e di fegato) all'estero, il primo trapianto di cuore efficace avvenne in Brasile, eseguito dal professor Zerbini, più precisamente il 26 marzo 1968[18].

Nel 1971 è stato effettuato il primo trapianto di rene inter-vivos non consanguineo in Brasile, presso l'Ospedale Sírio Libanês di São Paulo[20].

Vale la pena sottolineare l'importanza e la storia dei farmaci immunosoppressori nel processo di evoluzione dei trapianti. Nel corso di tre decenni (dal 1955 al 1985), sono stati introdotti nuovi farmaci immunosoppressori: corticoidi, azatioprina, globulina anti-linfociti, ciclosporina e OKT3, con l'obiettivo di ridurre i tassi di rigetto e quindi aumentare la sopravvivenza dei pazienti trapiantati. Nei trapianti di cuore, l'uso della ciclosporina ha aumentato la sopravvivenza dei pazienti del 75%-80%[18].

Sempre nel 1985, presso l'Hospital das Clínicas di São Paulo è stato eseguito con successo il primo trapianto di fegato in America Latina su una donna di vent'anni con un tumore primario al fegato. Questa paziente morì tredici mesi dopo a causa di una recidiva della malattia originaria[19].

Il secondo gruppo a eseguire con successo un trapianto di fegato nel Paese è stato l'Istituto pediatrico dell'Hospital das Clínicas di San Paolo nel 1989. Da quel momento in poi, altri Stati hanno iniziato a eseguire la procedura[19].

L'evoluzione della scienza ha fornito alla popolazione progressi significativi nel campo della salute. Tuttavia, gli aspetti politici e sociali che circondano i trapianti possono ostacolare l'accesso di un maggior numero di individui ai benefici tecnici e scientifici raggiunti.

1.4 Aspetti legali ed etici

Il Brasile è un Paese privilegiato per quanto riguarda la legislazione sui trapianti di organi, in quanto dispone di leggi complete che offrono sicurezza sia ai trapiantatori che agli utenti. Fino al 1997, in Brasile non esisteva una politica governativa sui trapianti. Oggi si può dire che l'accesso è ampio e democratico, indipendentemente dal livello socioeconomico e culturale dei pazienti che necessitano di queste procedure[16].

Il Sistema Sanitario Unificato (SUS) offre una copertura completa per le procedure legate al trapianto, compreso il follow-up post-chirurgico, inclusa la fornitura di immunosoppressori e farmaci di supporto, per un periodo indefinito. Negli Stati Uniti, ad esempio, la previdenza sociale e i piani sanitari forniscono una copertura parziale (solo per gli immunosoppressori) e per un periodo limitato dopo il trapianto[16].

Tuttavia, ci sono ancora alcune difficoltà da superare, come il tempo trascorso in lista d'attesa per il trapianto. Ciò può essere dovuto alla mancanza di notifica ai centri di trapianto e al mancato utilizzo di alcuni degli organi donati[16 \ Questi fatti possono essere legati all'incapacità degli operatori sanitari di identificare i potenziali donatori e di avvicinarli per richiedere la donazione[20], così come alla mancanza di conoscenza della popolazione sull'argomento, a motivi religiosi e all'insicurezza della popolazione sull'efficacia dei servizi pubblici[21].

Il momento della donazione è di fondamentale importanza, è una fase complessa, in quanto coinvolge sentimenti, aspetti etici e legali, e richiede quindi un'équipe di professionisti preparati e conoscitori della materia in oggetto \[20

Con la riduzione del numero di donatori vitali deceduti, il numero di donatori viventi aumenta considerevolmente, nel tentativo di soddisfare la domanda repressa '[2021].

Tuttavia, questo non è solo il caso del Brasile, poiché anche i Paesi riconosciuti come dotati di maggiori risorse tecniche e finanziarie non sono ancora riusciti a ridurre la lista d'attesa[16].

"I sistemi di trapianto sono attualmente vittime del loro stesso successo"[22]. Mentre le liste d'attesa si allungano, in contrasto con la disponibilità di organi che rimane stabile, si registra un elevato numero di decessi in queste code. Per cercare di invertire questa situazione, la comunità dei trapianti sta rivedendo i criteri di accettabilità dei donatori, sviluppando nuove strategie per ottenere gli organi, accettando casi di prelievo dopo arresto circolatorio, donatori marginali (donatori che non rientrano nei criteri ottimali per la donazione) e la cosiddetta donazione inter-vivos .[22]

In termini di legislazione brasiliana, la prima legge a regolamentare le attività di trapianto di organi è stata la Legge n. 5.479, pubblicata nell'agosto del 1968. Fino ai primi anni '80, i trapianti sono rimasti di natura accademica, cioè limitati alla ricerca clinica. Solo con l'avvento di nuove terapie immunosoppressive il trapianto ha potuto essere considerato un'opzione reale per i pazienti con insufficienza renale cronica. Al di fuori delle università e con il sostegno del governo, sono iniziate le azioni per implementare, pianificare e regolamentare i trapianti, a causa della richiesta della società che tutti abbiano gli stessi diritti di godere di questo beneficio. Con l'aumento della domanda, si sono resi necessari alcuni cambiamenti, tra cui la modernizzazione della legge del 1968, che non includeva, ad esempio, il concetto di morte cerebrale[16].

Nel 1987 è stato istituito il Sistema Integrato per l'Assistenza Medica ad Alta Complessità per pianificare e regolare la dialisi e i trapianti, e nel 1990 è stato rinominato Sistema Integrato per le Procedure ad Alta Complessità (SIPAC), che copre altri tipi di trapianto oltre al trapianto di rene. Il sistema incorporava anche l'associazione dei pazienti e altri professionisti. Questo sistema è stato abolito nel 1992, anno in cui è stata modificata la legge sui trapianti (legge n. 8.489). Questa legge è stata regolamentata solo nel 1993 dal decreto n.0 879 del 22 luglio, che ha reso obbligatoria la notifica di tutti i casi di morte cerebrale su base d'emergenza[16].

Da allora, qualsiasi servizio pubblico o privato che diagnostichi pazienti in stato di morte cerebrale deve informare i Centri di notifica, formazione e distribuzione degli organi (CNCDO) in modo che possano essere inclusi come potenziali donatori di organi. Inoltre, affinché un organo possa essere utilizzato per un trapianto, i familiari devono acconsentire alla donazione .[19

Una volta accertata la diagnosi di morte cerebrale, i professionisti sono liberi di agire di fronte ai familiari o ai donatori legali e procedere alla richiesta degli organi, seguita dalla firma del responsabile e di due testimoni (non facenti parte dell'équipe di trapianto o di recupero neurologico) sul modulo di donazione[20].

Nel 1997, con la Risoluzione n. 1.480 del Consiglio Federale di Medicina, i pazienti pediatrici sono stati inclusi nei criteri di morte cerebrale. Nello stesso anno è stata approvata la Legge n. 9.434, che ha istituito la donazione presunta di organi nel Paese attraverso il rilascio della carta d'identità civile. Questa legge prevedeva che tutte le persone dovessero indicare sulla carta d'identità e sulla patente di guida nazionale la volontà di donare o meno i propri organi in caso di morte .[16

Questa legge ha avuto un forte impatto sulla popolazione, provocando una mobilitazione della professione medica, dei pazienti e degli organismi rappresentativi, che ha portato alla promulgazione della legge n. 10.211, che ha posto fine alla donazione presunta[16].

Nel 1997 è stato istituito il Sistema Nazionale Trapianti (SNT) per sviluppare il "processo di acquisizione e distribuzione di tessuti, organi e parti prelevati dal corpo umano a scopo terapeutico"[1]

-[16] \ Mesi dopo è stato istituito il Sistema Statale Trapianti, responsabile della creazione di registri tecnici per i candidati a ricevere organi da cadavere, la regionalizzazione dei registri dei reni e dei fegati, la centralizzazione e la distribuzione degli organi prelevati, adottando i criteri stabiliti dalla legislazione, tra cui la compatibilità con l'Antigene Linfocitario Umano (HLA) per i trapianti di rene, e anche la creazione di organizzazioni per il reperimento degli organi per decentrare la ricerca e la preparazione dei donatori[16].

Il 1997 e il 1998 hanno visto un grande movimento nel settore dei trapianti, con una maggiore partecipazione della società e con l'Associazione brasiliana per i trapianti di organi che si è distinta .[1]

Nel 1998 sono stati emanati alcuni decreti ministeriali relativi alla gestione dei trapianti; il decreto n. 3.407 ha approvato le norme tecniche sulle attività di trapianto e il Coordinamento Nazionale Trapianti. L'ordinanza n. 3.410 ha stabilito le tabelle per il pagamento della ricerca e della preparazione dei donatori, degli interventi di impianto degli organi espiantati e del follow-up ambulatoriale post-trapianto, corrispondendo a uno dei passi più importanti nella storia dei trapianti, dal momento che, in Brasile, fino a quel momento c'era stata copertura solo per i trapianti con donatori viventi[1].

In seguito all'istituzione di una politica di trapianti nel Paese, il numero di trapianti di rene e di fegato è aumentato ulteriormente, con 3.362 trapianti di rene effettuati nel 2005, rendendo il Paese terzo al mondo per questa procedura (dietro solo a Stati Uniti e Cina). I trapianti di fegato sono passati da 1,4 per milione di popolazione (pmp) nel 1997 a 5,6 pmp nel 2005, per un totale di 956 trapianti. Anche i trapianti di pancreas sono aumentati significativamente dal 2000. °Nel 2006, il Brasile era al 5° posto in Sud America in termini di trapianti, con 6,0 pmp, dopo l'Uruguay con 25,2 pmp, l'Argentina con 11,68 pmp, il Cile con 10,1 pmp e la Colombia con 9,9 pmp[21].

La bioetica è strettamente legata alla questione dei trapianti. Il suo campo d'azione e di riflessione pone l'accento sulla ricerca di natura psicosociologica e su quella relativa alla medicina intensiva. In quest'ultima, tra l'altro, spiccano le questioni derivanti dalla medicina sostitutiva, come i trapianti. In questo senso, sono stati evidenziati conflitti etici, come la definizione di morte cerebrale^.

La necessità di definire la morte cerebrale è nata con lo sviluppo di unità di terapia intensiva e respiratori in grado di sostenere organismi con questa diagnosi per ore e persino giorni, nonché con lo sviluppo di tecniche di trapianto. Poiché non c'è unanimità su questa definizione, sono sorte speculazioni che hanno reso difficile raggiungere un consenso politico. Il pluralismo è stato invocato per consentire variazioni nelle definizioni in base alle preferenze individuali e di gruppo come soluzione a questa impasse[9].

Tuttavia, va sottolineato che la presenza di definizioni diverse può portare a seri problemi, perché anche nelle società pluralistiche è necessario definire la morte. I problemi sollevati dalla definizione di morte sono complessi, in quanto legati a vari fattori, tra cui credenze, posizioni scientifiche e filosofiche[9] .

L'importanza di questo argomento è legata a uno degli aspetti etici più complessi inerenti ai trapianti di organi. Molti pazienti riferiscono i loro dubbi sull'incertezza che circonda la morte del donatore dell'organo che hanno ricevuto, che genera ansia, paura e insicurezza sull'opportunità di sottoporsi o meno al trapianto. Il fatto che il paziente sappia di avere un organo che non gli appartiene e che una persona è dovuta morire perché lui potesse vivere sembra aumentare il bisogno affettivo '(923) .

Secondo l'articolo 4° della Risoluzione n. 1480/97 del Consiglio Federale di Medicina:

> I criteri di definizione della morte cerebrale sono: Coma appercettivo con assenza di attività motoria sopraspinale e apnea. La morte cerebrale può essere certificata solo da un medico professionista dopo gli opportuni esami clinici, secondo l'articolo 2° della stessa Risoluzione \.[24]

È quindi essenziale chiarire al pubblico il significato di morte cerebrale, presentando tutti i criteri diagnostici in modo accessibile, con rigore scientifico, per non suscitare dubbi.

Un'altra discussione pertinente nel campo della bioetica riguarda i principi di autonomia, beneficenza, non-maleficenza e giustizia. Questi principi sono da considerarsi la base dell'etica professionale in ambito sanitario[25] . Dato il rapporto più stretto con l'argomento, abbiamo scelto di contestualizzare solo il primo principio.

L'autonomia è "il principio che riguarda il dovere del professionista di dare tutte le informazioni necessarie e il diritto del paziente di ricevere informazioni chiare e adeguate alla sua comprensione, in modo da poter decidere sulla propria situazione"[25 ,26] .

Il diritto al consenso libero e informato comprende: "Il diritto di dare il consenso, di partecipare al trattamento senza coercizione, senza essere ingannati e con competenza; così come il diritto di ritirarsi dal trattamento in qualsiasi momento"[9 ,26] .

Da questo punto di vista, un aspetto importante da considerare è quello emotivo, che è al centro della questione del consenso informato. Poiché gli individui sono sia razionali che emotivi, possono subire influenze esterne e persino motivazioni inconsce quando prendono decisioni[9] .

Sono quindi valide le seguenti domande: il momento in cui il paziente chiede la rimozione dell'innesto (per complicazioni cliniche o chirurgiche) ed esprime il desiderio di tornare alla "macchina dell'emodialisi" corrisponde a un momento di fragilità? Il dolore, l'uso di immunosoppressori, il prolungato periodo di degenza, la frustrazione delle sue prospettive, la preoccupazione per la sua famiglia a casa, la paura di una complicanza importante che lo porti alla morte? Chi può sapere con certezza se la richiesta di prelievo dell'organo non sia un grido di aiuto?

11

La conclusione che si può trarre da questo problema è che la decisione dell'individuo deve essere rispettata, ma che deve essere data una completa informazione sulle implicazioni delle sue azioni, garantendo la sua libertà e dignità[9] .

Un altro aspetto etico che deve essere considerato nel contesto dei trapianti di organi e tessuti è il commercio di organi. La possibilità di commerciare gli organi di un donatore vivente non imparentato con il ricevente è una questione che riguarda la bioetica e la legge. La legge n. 9.434 del 4 febbraio 1997 consentiva la donazione di organi in vita da parte di persone non imparentate, a condizione che fossero legalmente capaci e non compromettessero la salute del donatore; tuttavia, anche se espressamente prevista, la libera donazione poteva comunque dare luogo alla vendita di organi[27] .

Poi, il 23 marzo 2001, è stata approvata la legge n. 10.211, che recita:

> Una persona legalmente capace può disporre gratuitamente di tessuti, organi e parti del corpo vivente per scopi terapeutici e per trapianti a coniugi o consanguinei fino al quarto grado, [...], o a qualsiasi altra persona, con autorizzazione giudiziaria [...][27] .

L'intenzione di comprare e vendere può essere mascherata da pretese altruistiche di aiutare gli altri, tenendo conto della condizione di vulnerabilità del donatore, così come di quella del ricevente, dovuta all'imminenza della morte[27] .

1.5 Qualità della vita e aspetti emotivi

La qualità della vita è definita come: "la percezione che un individuo ha della propria posizione nella vita, nel contesto della cultura e del sistema di valori in cui vive e in relazione ai propri obiettivi, aspettative, standard e preoccupazioni"[13] .

La qualità della vita copre domini di funzionamento quali le condizioni psicologiche e il benessere, le interazioni sociali, le condizioni o i fattori economici e/o professionali e le condizioni religiose e/o spirituali[13] . La qualità della vita viene valutata attraverso la percezione che l'individuo ha di ciascuna di queste aree "[1328] .

Per quanto riguarda i pazienti con insufficienza renale cronica (IRC), l'utilizzo di risorse tecnologiche a scopo terapeutico può non essere sufficiente a migliorare la loro qualità di vita[29] . Il paziente diventa dipendente dal trattamento dialitico, che provoca un aumento dei livelli di ansia, oltre ad altri cambiamenti psicologici, con conseguente calo della produttività e del reddito familiare, riduzione delle attività sociali e delle opportunità di lavoro, limitazione dell'aspettativa di vita e perdita di autostima "[1530] ; spesso sono evidenti sequele fisiche o mentali .[29]

Il trapianto appare allora come la "chiave" per risolvere tutti i problemi della malattia renale cronica, un'alternativa per migliorare la qualità di vita di questa clientela^ '[1531] -*. È una decisione tecnicamente complessa e psicologicamente difficile '(1532) .

Gli operatori sanitari hanno la responsabilità di valutare le condizioni generali del paziente, i rischi che possono verificarsi e i possibili miglioramenti per lui, poiché si trova di fronte a una decisione importante che riguarda la sua identità personale, la sua vita e la sua morte(32) .

Tuttavia, l'attesa prolungata per un trapianto può portare ad altre complicazioni per il paziente, rendendolo ad alto rischio e aumentando di conseguenza il numero di decessi. I pazienti sperimentano una grande quantità di ansia e di privazioni emotive legate al loro difficile percorso. Sono anche colpiti dalla paura, legata all'incertezza dell'evoluzione della malattia, alla possibilità di rigetto, alla necessità di assumere farmaci per il resto della vita, all'incertezza del periodo di attesa per il trapianto, all'impossibilità di eseguire la procedura chirurgica e al ritardo nella dimissione a causa delle complicazioni '(1123) .

La prospettiva di migliorare la qualità della vita attraverso il trapianto può essere vanificata da problemi che si verificano dopo l'intervento, come il rigetto del trapianto o gli effetti avversi causati dagli immunosoppressori '(1533) .

Tuttavia, per molti pazienti con insufficienza renale cronica, il trapianto è ancora l'opzione migliore, in quanto offre le migliori possibilità di sopravvivenza e riabilitazione, a un costo sociale inferiore rispetto alla dialisi ' '(13134) . Ne sono un esempio la maggior parte degli uremici cronici, i pazienti con insufficienza renale in fase terminale ' '(143435) , i pazienti con cardiopatie in fase terminale, malattie epatiche o polmonari; per questi ultimi il trapianto è ancora più prezioso, in quanto è l'unica opzione terapeutica in grado di prevenire la morte entro pochi mesi, offrendo la prospettiva di una nuova vita ' .(134)

Il lungo periodo di trattamento dialitico comporta alcuni problemi, come le complicanze ossee (osteodistrofia dovuta all'iperparatiroidismo secondario), le complicanze cardiovascolari (ipertrofia ventricolare sinistra, calcificazione vascolare), le complicanze cerebrali (arteriosclerosi avanzata), e la probabilità di morte tra i pazienti in emodialisi è 20 volte superiore a quella della popolazione generale '(2835) .

Anche a fronte di tante complicanze legate all'emodialisi, vale la pena sottolineare che il trapianto di rene non deve essere considerato come la salvezza per tutti i problemi dei pazienti affetti da malattia renale cronica; deve essere considerato come un'altra opzione di trattamento, che può presentare complicanze, come qualsiasi altro intervento. Tuttavia, la comprensione degli aspetti associati alla qualità di vita e alle strategie di coping utilizzate dai pazienti sottoposti a trapianto di rene può aiutare a sviluppare programmi di prevenzione e intervento adatti alle esigenze di questi pazienti '(1315) .

In uno studio sugli aspetti psicologici e psichiatrici del trapianto di midollo osseo (BMT), si legge che:

L'intensità e la complessità della BMT, ai suoi vari livelli, producono profondi effetti psicologici sul paziente, sulla sua famiglia e sul suo team professionale e sottolineano che ignorare questa realtà e ridurre i problemi della BMT ai loro aspetti puramente tecnici può avere conseguenze catastrofiche per il paziente e la sua famiglia e minacciare la sopravvivenza del team .[4

Al fine di ridurre alterazioni come quelle descritte sopra, l'assistenza psicologica preoperatoria è essenziale^ ,[011-36] \ Questa preparazione aiuta a identificare i pazienti ad alto rischio che necessitano di un'assistenza psicologica rigorosa, e persino a limitare o controindicare il trapianto come trattamento[36] .

La sindrome depressiva è comune in quasi tutte le malattie croniche ed è responsabile di una scarsa aderenza ai trattamenti proposti, di una cattiva qualità di vita e di una maggiore morbilità e mortalità tra i pazienti[37] .

Questo disturbo è la complicanza psicologica più comune nei pazienti in dialisi e rappresenta una risposta a una perdita reale, minacciata o immaginata. Le manifestazioni psicologiche osservate in questi pazienti sono: umore depresso persistente, immagine di sé compromessa e sentimenti pessimistici. I disturbi fisiologici includono disturbi del sonno, variazioni dell'appetito e del peso, secchezza della mucosa orale, costipazione e diminuzione dell'interesse sessuale ,[(3839] \ Va inoltre notato che i sintomi della depressione devono essere analizzati con molta attenzione, poiché possono essere confusi con i sintomi dell'uremia \[(39]

La depressione colpisce i pazienti sia prima che dopo il trapianto. In generale, esistono quattro tipi principali di depressione: disturbo dell'adattamento con umore depresso, disturbi depressivi, disturbi bipolari e disturbi dell'umore dovuti a malattie o farmaci[40] . La prima e l'ultima sono enfatizzate per la loro maggiore identificazione con le caratteristiche presentate dai pazienti cronici e trapiantati.

Nel Disturbo di adattamento con umore depresso, la depressione può essere correlata a un fattore di stress. Il paziente può menzionare la morte di una persona cara, un divorzio, una battuta d'arresto finanziaria o la perdita di un ruolo consolidato nella società che lo faceva sentire necessario in qualche attività, e questa perdita provoca un senso di colpa. Il disturbo si manifesta entro tre mesi dall'evento e porta a cambiamenti nell'attività sociale.

I sintomi vanno dalla tristezza lieve, all'ansia, all'irritabilità, alla preoccupazione, alla mancanza di concentrazione, allo scoraggiamento e ai disturbi somatici. Il disturbo dell'umore dovuto a malattie o farmaci colpisce soprattutto i pazienti affetti da malattie croniche. Condizioni come l'artrite reumatoide, la sclerosi multipla, le malattie cardiache croniche e altre possono portare a disturbi depressivi[40] .

Per quanto riguarda le complicazioni della depressione, più dura, più diventa radicata. Il suicidio è indicato come la complicazione più significativa. I pazienti con cancro, malattie

14

respiratorie, sindrome da immunodeficienza acquisita e quelli in emodialisi hanno tassi di suicidio più elevati[40] . Per quanto riguarda i pazienti sottoposti a trapianto di rene, la depressione è inversamente correlata al tempo di sopravvivenza del trapianto, ma può essere la conseguenza della perdita del trapianto piuttosto che la sua causa .[5]

In Brasile, la prevalenza della depressione è compresa tra il 5% e il 25% nei pazienti sottoposti a trapianto di rene. Le conseguenze della depressione hanno un impatto significativo sulla qualità della vita, sui tassi di suicidio, sull'aderenza al trattamento e sulla mortalità[30] .

1.6 Considerazioni finali

Due aspetti principali devono essere sottolineati in relazione ai trapianti: la significativa evoluzione tecnologica e le politiche pubbliche finalizzate ai trapianti di organi e tessuti in Brasile, nonché l'evidenza che viene dato poco valore agli aspetti emotivi e sociali, con ripercussioni psicologiche benefiche e sulla qualità di vita dei pazienti.

D'altra parte, la letteratura descrive che c'è ancora una mancanza di preparazione da parte degli operatori sanitari quando si tratta di diagnosticare la morte cerebrale e di identificare un possibile donatore, così come quando si tratta di segnalare i casi ai centri di trapianto e di rivolgersi ai familiari quando si richiede una donazione, e cita come conseguenza un aumento del numero di morti in lista d'attesa.

È prioritario disporre di équipe multiprofessionali formate, pienamente in grado di collaborare, nelle loro aree specifiche, al processo di donazione degli organi e alla preparazione del paziente al trapianto.

Riferimenti

1 Garcia VD, Abbud-Filho M, Campos HH, Pestana JOM. Politica dei trapianti in Brasile In: Garcia VD, Abbud Filho M, Neumann J, Pestana JOM. Trapianto di organi e tessuti. São Paulo: Segmento Farma Editora; 2006. p. 43-9.

2 Pietrovsk V, DalíAgnol CM. Situazioni significative nello spazio-contesto dell'emodialisi: cosa dicono gli utenti del servizio? Rev bras enferm. 2006; 59(5):630-5.

3 Brandão de Carvalho Lira AL, Cavalcante Guedes MV, Oliveira Lopes MV. Adolescente renale crónico: alterazioni fisiche, sociali ed emotive dopo il trapianto. Rev Soc Esp Enferm Nefrol. 2005;8(4):12-6.

4 Contei JOB, Sponholz Jr A, Torrano-Massetti LM, Almeida AC, Oliveira EA, Jesus JS, et al. Aspetti psicologici e psichiatrici del trapianto di midollo osseo. Medicina, Ribeirão Preto. 2000;33(3):294-311.

5 Akman B, Ozdemir FN, Sezer S, Micozkadioglu H, Haberal M. Livelli di depressione prima e

dopo il trapianto renale. Transplant proc. 2004;36(1): 111-3.

6 Zimmermann PR, Carvalho JO, Mari JJ. Impatto della depressione e di altri fattori psicosociali sulla prognosi dei pazienti renali cronici. Rev psiquiatr Rio Gd Sul. 2004; 26(3):312-8.

7 Amâncio JS, Borges MP, Oliveira A, Magalhães EF, Oliveira LHS, Bemardes RC. Valutazione della qualità di vita e dei disturbi dei pazienti renali cronici sottoposti a emodialisi. In: Atti dell'XI Riunione di iniziazione scientifica latinoamericana, VII Riunione post-laurea latinoamericana - Università Vale do Paraíba, I Riunione di iniziazione scientifica delle scuole superiori; 2007; São José dos Campos. São José dos Campos: Universidade do Vale do Paraíba; 2007. p. 2011-4.

8 Virzi A, Signorelli MS, VerouxM, Giammarresi G, Maugeri S, Nicoletti A, et al. Depressione e qualità di vita nel trapianto renale da vivente. Transplant proc. 2007;39(6): 1791-3.

9 Torres WC. Bioetica e psicologia della salute: riflessioni sulle questioni di vita e di morte. Psicol reflex crit. 2003;16(3):475- 82.

10 Castro EK. Il paziente renale cronico e il trapianto d'organo in Brasile: aspetti psicosociali. Rev SBPH. 2005;8(1):1-14.

11 Martins PD, Sankarankutty AK, Silva OC, Gorayeb R. Angoscia psichica nei pazienti in lista per il trapianto di fegato. Acta cir bras. 2006;21 Suppl 1: 40-3

12 Pereira E, Menegatti C, Percegona L, Aita CA, Riella MC. Aspetti psicologici dei pazienti diabetici candidati al trapianto di isole pancreatiche. Arq bras psicol [rivista su Internet]. 2007 Aug 22 [accesso nel 2008 Sep 22]. Disponibile all'indirizzo: http: // seer.psicologia.ufij .br/seer/lab 19/oj s/viewarticle.php?id=23.

13 Ravagnani LMB, Domingos NAM, Miyazaki MCOS. Qualità di vita e strategie di coping in pazienti sottoposti a trapianto di rene. Estud psicol. (Natal). 2007; 12 (2): 177-84.

14 Pereira LC, Chang J, Fadil-Romão MA, Abensur H, Araújo MRT, Noronha IL, et al. Qualità della vita correlata alla salute nei pazienti sottoposti a trapianto renale. J bras nefrol. 2003;25(1):10-6.

15 Mendes AC, Shiratori K. Le percezioni dei pazienti sottoposti a trapianto di rene. Nursing (São Paulo). 2002;5(44): 15-22.

16 Manfro RC, Noronha IL, Silva Filho AP, editori. Manuale del trapianto di rene. Iᵃ ed. São Paulo: Manole; 2004.

17 Barcellos FC. L'intenzione di donare gli organi in una popolazione adulta [tesi di laurea su Internet]. Pelotas: Università Federale di Pelotas, Facoltà di Medicina; 2003 [2008 Oct 24].

Disponibile da: http://www.abto.org.br/profissionais

18 Silva PR. Trapianto cardiaco e cardiopolmonare: 100 anni di storia e 40 anni di esistenza. Rev Bras Cir Cardiovasc. 2008;23(l): 145-52.

19 Mies S. Trapianto di fegato. AMB rev. Assoe. Med. Bras. 1998;44(2): 127-34.

20 Cavalcanti FCB, Paula FJ. Approccio dei familiari alla donazione di organi da cadavere In: Cruz J, Barros RT, organizzatori. Attualità in nefrologia. São Paulo: Sarvier;1996. v. 4, p. 276-9.
21 Rosa TN. Bioetica e riservatezza del donatore cadavere nei trapianti di rene tesi su Internet]. Brasília: Università Federale di Brasília, Facoltà di Scienze della Salute; 2007   [2008Sett23   ].   Disponívelem   : http://bdtd.bce.unb.br/tedesimplificado/tde_arquivos/6/TDE-2008-04-11T152850Z-2525/Publico/Dissertacao_Telma%20Rosa.pdf

22 D'Império F. Morte cerebrale, assistenza ai donatori di organi e trapianto di polmoni. Rev. bras. ter. intensiva [rivista su Internet]. 2007 gen-mar [accesso nel 2008 nov 30]; 19(l):[circa 10p.].   Disponibile a: http://www.scielo.br/scielo.php?script=sci_arttext&pid=S0103-507X2007000100010&lng=en. doí: 10.1590/S0103-507X2007000100010

23 Massarollo MC, Kurcgant P. L'esperienza degli infermieri nel programma di trapianto di fegato di un ospedale pubblico. Rev latinoam enferm. 2000;8(4):66-72.

24 Queiroz, VS. Reflexões acerca da equação da anencefalia à morte encefálica como justificativa para a interrupção da gestação de fetos anencefállicos . Jus Navigandi, 3 agosto 2005 9(760).

25 Junges JR. Bioetica: ermeneutica e casistica. San Paolo: Loyola; 2006.

26 Fabbro, L. Limiti legali all'autonomia del paziente. Rev. Bioét [rivista su Internet]. 1999 [accesso nel   2007   Aug   23];   7(l):[circa   5   p.].   Disponibile   all'indirizzo: http://www.cremeb.cfm.org.br/revista/indlv7.htm

27 Passarinho LEV, Gonçalves MP, Garrafa V. Studio bioetico dei trapianti di rene con donatori viventi non genitori in Brasile: l'inefficacia della legislazione nel prevenire il commercio di organi. AMB rev. Assoe. Med. Bras [periodico su Internet]. 2003 [accesso nel 2008 Nov 30]; 49(4):[circa 8p.   ].   Disponibile a: http://www.scielo.br/scielo.php?script=sci_arttext&pid=S0104- 42302003000400028&lng=en. doi: 10.1590/S0104-42302003000400028.

28 Amato MS, Amato Neto V, Uip DE. Valutazione della qualità di vita dei pazienti con malattia di Chagas sottoposti a trapianto di cuore. Rev Soc Bras Med Trop. 1997;30(2): 159-60.

17

29 Zanei SS. Analisi degli strumenti di valutazione della qualità di vita WHOQOL-BREF e SF-36: affidabilità, validità e accordo tra i pazienti delle unità di terapia intensiva e le loro famiglie [tesi di laurea]. San Paolo: Università di San Paolo; 2006.

30 Almeida AM, Meleiro AMAS. Depressione e insufficienza renale cronica. J bras nefrol. 2000; 22(1): 192-200.

31 Cunha CB, Leon ACB, Schramm JMA, Carvalho MS, Paulo Júnior RBS, Chain R. Tempo al trapianto e sopravvivenza in pazienti con insufficienza renale cronica nello Stato di Rio de Janeiro, Brasile, 1998-2002. Cad saúde pública. 2007;23(24);805-13.

32 Steiner P, Vieira MCR. Donazione di organi: la legge, il mercato e le famiglie. Tempo Soc [periodico su Internet]. 2004 Nov [visitato il 30 Nov 2008]; 16(2):[circa 22 p.]. Disponibile a: http://www.scielo.br/scielo.php?script=sci_arttext&pid=S0103-20702004000200005&lng=en&nrm=iso doi: 10.1590/S0103-20702004000200005.

33 Bittencourt ZZLC, Alves Filho G, Mazzali M, Santos NR. Qualità della vita nei pazienti sottoposti a trapianto di rene: importanza del trapianto funzionante. Rev Saúde Pública. 2004; 38(5):732-4.

34 Garcia VD. Por uma política de transplantes no Brasil, Office Editora e Publicidade Ltda, São Paulo (2000).

35 Santos PR, Pontes LR Sansigolo K. Variazione della qualità di vita in pazienti con insufficienza renale in fase terminale durante un follow-up di 12 mesi. AMB rev. Assoe. Med. Bras [periodico su Internet]. 2007 Aug [accesso nel 2008 Nov 29]; 53(4):[circa 5 p.]. Disponibile all'indirizzo: http://www.scielo.br/scielo.php?script=sci_arttext&pid=S0104-   42302007000400018&lng=it. doi: 10.1590/S0104-42302007000400018

36 Silva, RMG. L'importanza degli aspetti psicologici nell'indicazione al trapianto di rene e le sue implicazioni bioetiche [tesi di laurea]. Joinville (SC): Universidade da Região de Joinville; 2003.

37 Teng CT, Humes EC, Demetrio FN. Depressione e comorbidità cliniche. Rev psiquiatr clín (São Paulo). 2005;32(3): 149-59.

38 Kimmel PL, Peterson RA, Weihs KL, Simmens SJ, Alleyne S, Cruz I, et al. Misure multiple di depressione predicono la mortalità in uno studio longitudinale di pazienti ambulatoriali in emodialisi cronica. Kidney Int. 2000;57(5):2093-8.

39 Daugirdas JT, Blake PG, Ing TS, editori. Manuale di dialisi. 3ª ed. Rio de Janeiro: Medsi, 2003.

40 Tiemey LM Jr, McPhee SJ, Papadakis MA. Diagnosi e trattamento della Lange. San Paolo: Atheneu; 1998.

CAPITOLO 2

ARTICOLO ORIGINALE

Depressione e qualità di vita nei pazienti prima e dopo il trapianto di rene*

Depressione e qualità di vita in pazienti con trapianto di rene pre e post trapianto di rene

Patrícia Madruga Rêgo Barros, studentessa di Master in Scienze della Salute presso l'UFPE, specializzata in infermieristica nefrologica e infermiera presso l'Hospital das Clínicas, Recife-PE, Brasile.

Luciane Soares de Lima, dottore di ricerca in Scienze Pneumologiche presso l'UNIFESP/EPM e Prof[1] . Professore aggiunto presso il Dipartimento di Infermieristica dell'UFPE.

*Studio condotto presso l'Ambulatorio dei Trapianti Renali dell'Hospital das Clínicas dell'Università Federale di Pernambuco, Recife, Brasile.

Indirizzo per la corrispondenza:
Patrícia Madruga Rêgo Barros
Rua Capitão Ponciano, 63 CEP 50780-40 - Recife, PE, - Brasile
e-mail: patricia-madruga@hotmail.com

Sintesi

Obiettivo: analizzare l'insorgenza della depressione e la qualità della vita nei pazienti renali pre- e post-trapianto seguiti presso l'ambulatorio di trapianto renale dell'Hospital das Clínicas dell'Università Federale del Pernambuco (HC-UFPE). **Metodo:** studio esplorativo descrittivo con approccio quantitativo trasversale, condotto tra luglio e dicembre 2007. Per la raccolta dei dati sono stati utilizzati tre strumenti: un questionario per caratterizzare il campione, il Beck Depression Inventory (BDI) e il questionario SF-36 per valutare la qualità della vita. Il campione era composto da due gruppi, uno di pazienti pre-trapianto renale (59 pazienti) e l'altro di pazienti con trapianto renale (63 pazienti), per un totale di 122 pazienti. I criteri di inclusione erano: avere più di 18 anni e un'età compresa tra 6 mesi e 2 anni dopo il trapianto. Il criterio di esclusione era il possesso di una precedente diagnosi di malattia psichiatrica. **Risultati:** L'età media dei pazienti pre-trapianto era di 47 anni, di cui il 57,6% maschi, mentre quella dei pazienti trapiantati era di 39 anni, di cui il 55,6% maschi. Il tempo medio di dialisi nel primo gruppo era di 3 anni e 3 mesi e nel secondo gruppo di 6 anni e 8 mesi. La durata media del trapianto era di 1 anno e 3 mesi. La maggior parte dei pazienti di entrambi i gruppi non era depressa, pari all'88,9% dei pazienti trapiantati e al 79,6% dei pazienti pre-trapianto. Tra coloro che presentavano un certo grado di depressione, non vi era alcuna differenza significativa tra il fatto di essere pre-trapianto o di aver già subito un trapianto (p = 0,470). Anche la durata del trapianto di rene e il trattamento dialitico non hanno mostrato alcuna relazione con i livelli di depressione riscontrati (rispettivamente p = 0,547 e p = 0,089). La qualità della vita è risultata più elevata nei pazienti trapiantati rispetto a quelli in attesa dell'intervento. I domini del questionario SF-36 che hanno determinato la migliore qualità di vita nei pazienti trapiantati sono stati la capacità funzionale (p = 0,001), il dolore (p = 0,027), lo stato di salute generale (p = 0,049) e la vitalità (p = 0,000). **Conclusioni:** questo studio ha evidenziato una bassa incidenza di depressione sia nei pazienti sottoposti a trapianto pre che post trapianto renale. La qualità della vita è risultata più elevata nel gruppo dei trapiantati.

Parole chiave: Depressione, qualità di vita, trapianto d'organo, malattia cronica.

2.1 Introduzione

L'insufficienza renale cronica (IRC) può essere concepita come una perdita lenta e progressiva della funzione renale, con conseguenti anomalie dell'ambiente interno quali azotemia, anemia, acidosi metabolica, iperfosfatemia, ipercalcemia e iponatriemia. Livelli sierici elevati, soprattutto di urea, e una clearance della creatinina inferiore a 10 ml/min caratterizzano la sindrome uremica, i cui segni e sintomi coinvolgono in particolare i tratti gastrointestinale, nervoso e cardiopolmonare. I pazienti possono manifestare debolezza, nausea, vomito, anoressia, emorragia gastrointestinale, parestesia, ipertensione, irritabilità, ansia, depressione, tra gli altri[1].

Trattandosi di una malattia progressiva, il suo sviluppo non è uguale per tutti gli individui, variando a seconda delle cause sottostanti, del tasso di escrezione di proteine nelle urine e del grado di ipertensione di ciascun paziente[2].

La CRF è suddivisa in stadi in base alla funzione renale del paziente. Inizialmente, non vi è alcun danno renale o alterazione della funzione renale. Gradualmente, i reni riducono la loro velocità di filtrazione, si verificano alterazioni dell'urea e della creatinina sieriche e compaiono segni e sintomi associati alla causa di base. Infine, i reni perdono il controllo dell'ambiente interno, richiedendo la terapia renale sostitutiva (RRT)[3].

La terapia sostitutiva renale mira a mantenere il paziente in condizioni adeguate dal punto di vista metabolico e clinico, oltre che ad adattarsi al trattamento. Tuttavia, quando si tratta di dialisi, non si ottiene una riabilitazione totale, a differenza del trapianto che riabilita con successo sia soggettivamente che oggettivamente, e con un eccellente rapporto costi/benefici[4].

I progressi della tecnologia dialitica hanno contribuito in modo sostanziale ad aumentare la sopravvivenza dei pazienti con CRF [56] . Tuttavia, rimanere in trattamento dialitico per un periodo di tempo indefinito può interferire con la qualità della vita .[5]

Gli studi mostrano una migliore qualità di vita dopo il trapianto [78] , grazie alla possibilità di tornare alle normali attività, tuttavia il trapianto può essere correlato a punteggi insoddisfacenti tra coloro che hanno avuto un rigetto acuto, o a effetti avversi dovuti all'uso di immunosoppressori[7] .

Attualmente, la qualità della vita viene definita in base all'area di applicazione, comprendendo due tendenze: la prima presenta un concetto generico, che enfatizza gli aspetti legati al grado di soddisfazione riscontrato nella vita familiare, affettiva, sociale e ambientale, in correlazione con lo standard che la società considera come comfort e benessere. La seconda tendenza è legata alla salute e considera l'influenza delle malattie e dei loro trattamenti sulla qualità della vita dei pazienti[9] .

La qualità della vita correlata alla salute è condizionata dalle esperienze di ciascun paziente, ossia da come gli effetti della malattia e del suo trattamento influenzano la vita quotidiana e la soddisfazione di ciascun individuo^' '101 r) .

L'attenzione agli aspetti psicosociali è fondamentale per il successo del trattamento[1213] , in quanto interferiscono direttamente con la percezione e la valutazione della malattia, l'aderenza al trattamento e la qualità di vita dei pazienti con CRF[13] .

La depressione è considerata la complicanza psicologica più comune nei pazienti in dialisi. Tra le manifestazioni psicologiche più comuni in questa clientela vi sono: umore depresso persistente, immagine di sé compromessa e sentimenti di pessimismo. I disturbi fisiologici includono: cambiamenti nell'appetito e nel peso, disturbi del sonno e riduzione dell'interesse sessuale[14] . I candidati al trapianto di rene spesso sperimentano cambiamenti psicologici e la depressione è uno di questi[15] .

I pazienti trapiantati possono sperimentare una perdita di interesse per quasi tutte le attività, oltre a riduzione dell'appetito, disturbi del sonno, diminuzione dell'energia, senso di colpa o di inutilità e disturbi del pensiero. Spesso possono verificarsi pensieri di morte, ideazione suicida o tentativi di suicidio, più comuni nei casi di rigetto dell'organo e di ritorno alla dialisi \.[1516]

Quanto sopra dimostra l'importanza degli aspetti emotivi e della qualità della vita nel monitoraggio dei pazienti con CRF in attesa di un organo nella coda pre-trapianto e di quelli già sottoposti alla procedura.

Lo scopo dello studio è stato quello di analizzare l'insorgenza della depressione e la qualità della vita nei pazienti pre- e post-trapianto di rene seguiti presso l'ambulatorio di trapianto renale dell'Hospital das Clínicas (HC) dell'Università Federale del Pernambuco (UFPE).

2.2 Pazienti e metodi

Si tratta di uno studio descrittivo ed esplorativo con un approccio quantitativo e trasversale, condotto presso l'ambulatorio per i trapianti renali dell'Hospital das Clínicas da UFPE, che tratta

21

esclusivamente pazienti del Sistema Sanitario Unificato (SUS).

Il campione era composto da 122 pazienti. Dei pazienti trapiantati trattati presso l'ambulatorio, 82 erano eleggibili. 12 sono deceduti, 4 non si sono presentati agli appuntamenti programmati durante il periodo di raccolta dei dati, uno (1) ha rifiutato di partecipare e 2 hanno abbandonato il programma, formando un gruppo di 63 pazienti. Per quanto riguarda i pazienti pre-trapianto, essi costituivano un gruppo di 59 pazienti e sono stati selezionati per convenienza, considerando il periodo di raccolta dei dati e gli studi che hanno valutato l'insorgenza della depressione e/o della qualità di vita nei pazienti con CRF ' '[162029]. I criteri di inclusione per il campione erano: età superiore a 18 anni e tra 6 mesi e 2 anni dopo il trapianto. I criteri di esclusione erano: pazienti con disturbi psichiatrici diagnosticati dall'équipe medica. I dati sono stati raccolti tra luglio e dicembre 2007. Sono stati utilizzati tre strumenti di raccolta dati (tutti applicati dall'autore in un'unica intervista): un modulo per caratterizzare il campione, il Beck Depression Inventory (BDI), versione rivista 1979 '[1718] e il Medical Outcomes Study 36-item Short Form Health Survey (SF-36), uno strumento validato in Brasile nel 1997[19].

Il modulo utilizzato per caratterizzare il campione comprende dati identificativi e demografici, nonché dati sulla malattia e sul trattamento.

Il Beck Depression Inventory (BDI) è probabilmente la misura di autovalutazione della depressione più utilizzata, sia nella ricerca che nella pratica clinica, essendo stato tradotto in diverse lingue e validato in diversi Paesi. La sua affidabilità e validità sono buone e può essere utilizzato in campioni clinici e nella popolazione generale[18].

La valutazione complessiva del BDI si ottiene sommando i numeri accanto alle domande - attribuiti agli item selezionati dal paziente. Il punteggio della scala Beck è definito come: nessuna depressione = <15; depressione lieve = 15-20; depressione da lieve a moderata = 20-30 e depressione grave = 30-63[18].

La scala originale è composta da 21 item, tra cui sintomi e atteggiamenti, la cui intensità varia da 0 a 3. Gli item si riferiscono a tristezza, pessimismo, senso di colpa, senso di punizione, auto-deprezzamento, autoaccusa, idee suicide, crisi di pianto, irritabilità, ritiro sociale, indecisione, distorsione dell'immagine corporea, inibizione al lavoro, disturbi del sonno, affaticamento, perdita di appetito, perdita di peso, preoccupazioni somatiche e diminuzione della libido - ^.[11]

Il questionario SF-36 è uno strumento generico di valutazione della qualità della vita composto da 36 item raggruppati in otto componenti: capacità funzionale, limitazioni fisiche, dolore, salute generale, vitalità, aspetti sociali, aspetti emotivi e salute mentale[5]. È uno degli strumenti più utilizzati per la valutazione della qualità della vita, applicabile a vari tipi di malattie, e valuta quindi la qualità della vita correlata alla salute \.[9]

Per valutare i risultati, sono stati calcolati i punteggi, con ogni risposta corrispondente a un punteggio specifico. Questo valore è stato poi trasformato in punteggi per otto domini, che vanno da 0 (zero) a 100 (cento), dove 0 (zero) è considerato il valore peggiore e 100 (cento) il migliore per ogni dominio \.[19]

Per l'inserimento dei dati sono stati utilizzati i software SPS 13.0 per Windows ed Excel 2003 e tutti i test sono stati applicati con un'affidabilità del 95%.

Per le variabili quantitative è stato utilizzato il test di normalità di Kolmogorou-Smimov. L'esistenza di un'associazione è stata verificata utilizzando il test esatto di Fisher e il test del chi-quadro per le variabili categoriche, il test della media; il test T di Student (distribuzione normale) e Mann-Whitney (non normale); per l'analisi statistica dei dati sono stati utilizzati anche il test della media (con più di due gruppi); l'Anova (distribuzione normale) e Kruskal Wallis (non normale).

Tutti i pazienti hanno firmato in precedenza un modulo di consenso informato. Il progetto è stato approvato dal Comitato Etico per la Ricerca del Centro di Scienze della Salute dell'Università Federale di Pernambuco, con il numero CAAE-0049.0.172.000-07.

2.3 Risultati

La Tabella 1 mostra che: dei 59 pazienti pre-trapianto, 34 (57,6%) erano maschi, 32 (54,2%) vivevano nella Regione Metropolitana di Recife, la maggior parte del gruppo, 17 (28,8%) erano pensionati e solo 3 (5,1%) hanno riferito di non avere un'occupazione al momento dell'intervista, 30 (50,8%) avevano completato la scuola primaria, 5 (8,5%) avevano un'istruzione superiore con qualifiche post-laurea e solo 3 (5,1%) erano analfabeti.

Dei 63 pazienti trapiantati, 35 (55,6%) erano maschi, 32 (50,8%) vivevano nella Regione Metropolitana di Recife, la maggior parte dei pazienti, 27 (42,8%) erano beneficiari e solo 2 (3,2%) hanno riferito di non avere un'occupazione al momento dell'intervista, 34 (53,9%) avevano completato la scuola primaria, 1 (1,6%) aveva un'istruzione superiore con titoli post-laurea e solo 1 (1,6%) era analfabeta.

Le caratteristiche socio-demografiche erano simili tra i gruppi, a dimostrazione dell'omogeneità del campione studiato.

Tabella 1: Pazienti pre- e post-trapianto di rene secondo le caratteristiche socio-demografiche seguiti presso l'ambulatorio dell'Hospital das Clínicas. Recife, 2007.

Variabili	Gruppi				p-value
	Post-trapianto		Pre-trapianto		
	n	%	n	%	
Il sesso					
Uomo	35	55,6	34	57,6	0,962 *
Donna	28	44,4	25	42,4	
Residenza					
RMR	32	50,8	32	54,2	0,842 *
Altri	31	49,2	27	45,8	
Occupazione					

23

Attività professionale	18	28,6	13	22,0	0,123 **
Casa	6	9,5	5	8,5	
In pensione	7	H,1	17	28,8	
Beneficiario	27	42,8	16	27,1	
Studente	3	4,8	5	8,5	
Nessuna occupazione	2	3,2	3	5,1	
Istruzione					
Analfabeta	1	1,6	3	5,1	0,294 **
Scuola elementare incompleta	3	4,8	4	6,8	
Completare l'istruzione primaria	34	53,9	30	50,8	
Completamento della scuola superiore	24	38,1	17	28,8	
Laurea con titolo post-laurea	1	1,6	5	8,5	

(*) Test chi-quadro

(**) Test esatto di Fisher

La Tabella 2 mostra che: l'età media dei pazienti pre-trapianto era di 47 ± 12,38 anni, il reddito mediano era di 380,00 R$ e il tempo medio di dialisi era di 39,63 mesi, pari a 3 anni e 3 mesi.

Tra i riceventi del trapianto, l'età media era di 39 ± 10,39 anni, il reddito era di 380,00 R$ e il tempo medio di dialisi era di 82,05 mesi, pari a 6 anni e 10 mesi.

La durata media del trapianto è stata di 1 anno e 3 mesi. Questi dati non sono riportati nella tabella, poiché si riferiscono solo a uno dei gruppi studiati; tuttavia, sono trattati nella discussione.

Anche il tempo medio di dialisi è stato trattato nella discussione, data la sua rilevanza per lo studio.

Tabella: Pazienti pre- e post-trapianto di rene in base a età, reddito e tempo di dialisi, seguiti presso l'ambulatorio dell'Hospital das Clínicas. Recife, 2007

Variabili	Gruppi				p-value
	Post-trapianto		Pre-trapianto		
	Media	DP	Media	DP	
Età	39,3	±10,39	47,1	±12,38	0,000 *
	Mediano	Q1; Q3 1	Mediano	Q1;Q3	
Reddito	380,00	380,00; 900,00	380,00	380,00; 700,00	0,328 **
	Media	DP	Media	DP	
Tempo di dialisi	6,8	±4,51	3,3	±2,79	0,000 **

(1) Test t degli studenti

(2)) Test di Mann-Whitney

La Tabella 3 mostra che 47 (79,6%) pazienti prima del trapianto non avevano depressione, 7 (11,9%) avevano una depressione da moderata a grave, 4 (6,8%) una depressione lieve e 1 (1,7%)

una depressione grave.

Tra i riceventi del trapianto: 56 (88,9%) non avevano depressione, 4 (6,3%) avevano una depressione da moderata a grave, 3 (4,8%) avevano una depressione lieve e nessun paziente aveva una depressione grave.

Tabella 3: Pazienti pre- e post-trapianto di rene in base ai livelli di depressione, seguiti presso l'ambulatorio dell'Hospital das Clínicas. Recife, 2007

| Livelli di depressione | Gruppi | | | | p-value * |
| | Post-trapianto | | Pre-trapianto | | |
	n	%	n	%	
Nessuna depressione	56	88,9	47	79,6	
Depressione lieve	3	4,8	4	6,8	
Depressione da moderata a grave	4	6,3	7	11,9	0,470
Depressione grave	0	0,0	1	1,7	
Totale	63	100,0	59	100,0	

(*) Test esatto di Fisher

La tabella 4 mostra che 38 (86,4%) dei pazienti trapiantati da 1 a 2 anni non presentavano depressione, 4 (9,1%) presentavano una depressione da moderata a grave e 2 (4,5%) una depressione lieve. Tra i pazienti trapiantati da 1 anno o meno, 18 (94,7%) non avevano depressione e solo 1 (5,3%) aveva una depressione lieve.

Tabella 4: Pazienti pre- e post-trapianto di rene secondo i livelli di depressione, in base al tempo trascorso dal trapianto, seguiti presso l'ambulatorio dell'Hospital das Clínicas. Recife, 2007

| Livelli di depressione | Tempo di trapianto | | | | p-value * |
| | ≤ 1 anno | | > 1 anno e ≤ 2 anni | | |
	n	%	n	%	
Nessuna depressione	18	94,7	38	86,4	
Depressione lieve	1	5,3	2	4,5	
Depressione da moderata a grave	0	0,0	4	9,1	0,547
Totale	19	100,0	44	100,0	

(*) Test esatto di Fisher

La Tabella 5 mostra che tra i pazienti con meno di 4 anni di dialisi, 49 (83%) non avevano depressione, 6 (10,2%) avevano una depressione lieve, 3 (5,1%) una depressione da moderata a grave e 1 (1,7%) una depressione grave.

Tra i pazienti in dialisi da 4 a 8 anni, 30 (90,9%) non avevano depressione, 2 (6,1%) avevano

25

una depressione da moderata a grave, solo 1 (3%) aveva una depressione lieve e nessun paziente aveva una depressione grave.

Tra i pazienti in dialisi da 8 anni o più, 24 (80%) non presentavano depressione, 6 (20%) erano affetti da depressione moderata o grave e nessuno del campione presentava depressione lieve o grave.

Tabella 5: Pazienti pre- e post-trapianto di rene secondo i livelli di depressione, in base alla durata della dialisi, seguiti presso l'ambulatorio dell'Hospital das Clínicas. Recife, 2007

Livelli di depressione	< 4 anni		4 |-8		≥8		p-value*
	n	%	n	%	n	%	
Nessuna depressione	49	83,0	30	90,9	24	80,0	
Depressione lieve	6	10,2	1	3,0	0	0,0	
Depressione da moderata a grave	3	5,1	2	6,1	6	20,0	0,089
Depressione grave	1	1,7	0	0,0	0	0,0	
Totale	**59**	**100,0**	**33**	**100,0**	**30**	**100,0**	

(*) Test esatto di Fisher

La tabella 6 mostra che: nei pazienti pre-trapianto, gli aspetti sociali, le limitazioni dovute agli aspetti emotivi e la salute mentale hanno avuto le medie più alte, corrispondenti rispettivamente a 90,0 (± 23,53 SD), 77,4 (± 41,73 SD) e 76,6 (± 19,76 SD), seguiti dai domini: dolore, con 69,3 (± 30,20 SD), limitazione da aspetti fisici, con 68,6 (± 45,15 SD), vitalità, con 67,0 (± 22,95), capacità funzionale, che rappresenta 66,1 (± 31,43 SD) e, infine, stato generale di salute, con 63,7 (± 24,48).

Tra i riceventi del trapianto, si sono distinti i seguenti domini: limitazione dovuta ad aspetti emotivi, con 87,8 (± 32,41 SD), capacità funzionale, con 82,6 (± 22,38 SD) e aspetti sociali, con 82,1 (± 30,18 SD), seguiti da: vitalità, con 80,4 (± 21,8 SD), dolore, 78,8 (±

31,65 SD), la salute mentale 74,1 (± 21,45 SD) e, infine, lo stato di salute generale, con 71,1 (± 28,47 SD).

Tabella 6: Pazienti pre- e post-trapianto di rene secondo i punteggi medi nei domini del questionario SF-36, seguiti presso l'ambulatorio dell'Hospital das Clínicas. Recife, 2007

Domini dell'SF-36	Gruppi		p-value
	Post-trapianto	Pre-trapianto	
	Media ± SD	Media ± SD	
Capacità funzionale	82,6 ±22,38	66,1 ±31,43	0,001 *
Limitazioni dovute ad	77,0 ±41,71	68,6 ±45,15	0,335 *

aspetti fisici

Il dolore	78,8 ±31,65	69,3 ± 30,20	0,027 *
Stato di salute generale	71,1 ±28,47	63,7 ± 24,48	0,049 *
Vitalità	80,4 ±21,58	67,0 ± 22,95	0,000 *
Aspetti sociali	82,1 ±30,18	90,0 ± 23,53	0,099 *
Limitazione da parte degli aspetti emotivi	87,8 ± 32,41	77,4 ±41,73	0,111 *
Salute mentale	74,1 ±21,45	76,6 ±19,76	0,502 **

(*) Test di Mann-Whitney

(**) Test t di Student

La tabella 7 mostra che: per il gruppo con tempo inferiore o uguale a 1 anno, il percentile più alto corrispondeva alla limitazione dovuta agli aspetti emotivi, con 91,2 (± 26,86 SD), seguita da: dolore, con 86,0 (± 25,4 SD), capacità funzionale, 83,0 (± 17,58 SD), vitalità, 80,79 (± 18,13 SD), limitazione dovuta ad aspetti fisici, 76,3 (± 41,23 SD), aspetti sociali, 75,7 (± 31,86 SD), salute mentale, 74,5 (± 16,72 SD) e, infine, stato di salute generale, con 66,1 (± 30,54 SD).

I seguenti domini sono stati osservati in ordine decrescente per il gruppo con un periodo di trapianto di un anno o più: limitazione per aspetti emotivi, 86,4 (± 34,71 SD), aspetti sociali, 84,9 (± 29,36 SD), capacità funzionale, 82,5 (± 24,34 SD), vitalità, 80,2 (± 42,39 SD), dolore, 75,8 (± 33,8 SD), salute mentale, 73,9 (± 23,38 SD) e, infine, stato di salute generale, con 73,3 (± 27,61 SD).

Tabella 7: Pazienti pre- e post-trapianto di rene secondo i punteggi medi nei domini del questionario SF-36, in base al tempo trascorso dal trapianto, seguiti presso l'ambulatorio dell'Hospital das Clínicas. Recife, 2007

Domini dell'SF-36	Tempo di trapianto		p-value
	≤ 1 anno	≤ 2 anni	
	Media ± SD	Media ± SD	
Capacità funzionale	83,0 ± 17,58	82,5 ± 24,34	0,433 *
Limitazione per aspetti Fisico	76,3 ±41,23	77,3 ± 42,39	0,594 *
Il dolore	86,0 ± 25,40	75,8 ± 33,80	0,263 *
Stato di salute generale	66,1 ±30,54	73,3 ± 27,61	0,442 *
Vitalità	80,79 ± 18,13	80,2 ±23,10	0,733 *
Aspetti sociali	75,7 ±31,86	84,9 ± 29,36	0,187*
Limitazione da parte degli aspetti emotivi	91,2 ±26,86	86,4 ± 34,71	0,678 *
Salute mentale	74,5 ± 16,72	73,9 ±23,38	0,918 **

(*) Test di Mann-Whitney

(**) Test t di Student

La tabella 8 mostra che: nel gruppo con meno di 4 anni di dialisi, le medie più alte si susseguono in ordine decrescente: aspetti sociali, 85,6 (± 28,13 SD), limitazione per aspetti emotivi, 78 (± 41,8 SD), dolore, 77,6 (± 29,72 SD), limitazione per aspetti fisici, 74,6 (± 42,67 SD), salute mentale, 72,8 (± 29,73 SD), vitalità, 71,69 (± 21,67 SD) e stato di salute generale, 65,8 (± 25,75 SD).

Nel gruppo con tempo di dialisi tra i 4 e gli 8 anni, la media più alta è stata quella delle limitazioni dovute agli aspetti emotivi, con 91,9 (± 26,39 dp), seguite dagli aspetti sociali, 87,9 (± 26,61 dp), dalla salute mentale, 81,6 (± 16,18 dp), vitalità, 78,9 (± 20,98 dp), capacità funzionale, 78,9 (± 25,53 dp), limitazioni dovute agli aspetti fisici, 75 (± 43,3 dp), dolore, 74,2 (± 29,5 dp) e, infine, stato di salute generale, 71,4 (± 27,68).

Nel gruppo con 8 o più anni di dialisi sono stati osservati, in ordine decrescente, i seguenti valori: aspetti sociali, 84,58 (± 27,4 SD), limitazione dovuta agli aspetti emotivi, 82,2 (± 37,89 SD), capacità funzionale, 73,7 (± 28,62 SD), vitalità, 72,7 (± 27,82 SD), dolore, 67,5 (± 35,56 SD), limitazione dovuta agli aspetti fisici, 67,5 (± 46,03 SD) e, infine, stato di salute generale, 66,6 (± 28,16 SD).

Tabella 8: Pazienti pre- e post-trapianto di rene secondo i punteggi medi dei domini del questionario SF-36, in base alla durata della dialisi, seguiti presso l'ambulatorio dell'Hospital das Clínicas. Recife, 2007

Domini di SF-36	Tempo di dialisi			p-value
	< 4 anni Media ± SD	4 |-8 Media ± SD	≥8 Media ± SD	
Capacità Funzionale	72,8 ± 29,73	78,8 ± 25,53	73,7 ± 28,62	0,680 *
Limitazione da Aspetti fisici	74,6 ±42,67	75,0 ±43,30	67,5 ±46,03	0,642 *
Il dolore	77,6 ±29,72	74,2 ± 29,50	67,5 ± 35,56	0,376 *
Stato generale di Salute	65,8 ± 25,75	71,4 ±27,68	66,6 ±28,16	0,444 *
Vitalità	71,69 ±21,67	78,9 ± 20,98	72,7 ± 27,82	0,210 *
Aspetti sociali	85,6 ±28,13	87,9 ± 26,61	84,58 ± 27,40	0,638 *
Limitazione da Aspetti Emotivo	78,0 ±41,80	91,9 ±26,39	82,2 ± 37,89	0,256 *
Salute mentale	74,4 ± 19,57	81,6 ±16,18	70,3 ± 25,38	0,082 **

(*) Kruskal-Wallis

(**) Anova

2.4 Discussione

Lo studio ha mostrato che non c'era una differenza statisticamente significativa nella depressione tra i pazienti pre-trapianto e quelli sottoposti a trapianto di rene. Tuttavia, è emersa una

28

tendenza a un maggior numero di casi di depressione tra i pazienti pre-trapianto (tabella 3), in linea con i risultati ottenuti in un altro studio[16] . Tuttavia, va sottolineato che la depressione può essere un potenziale problema post-trapianto, a causa di alcune possibili implicazioni, come la mancanza di aderenza al trattamento e la perdita dell'innesto ' '[162021] , così come i cambiamenti corporei, i sensi di colpa verso il donatore e l'effetto degli immunosoppressori[22] .

In entrambi i gruppi è stata riscontrata un'alta percentuale di pazienti che non presentavano depressione (tabella 3). Gli studi condotti in quest'area mostrano risultati diversi rispetto ai dati riscontrati, dimostrando la presenza di questo disturbo soprattutto tra i pazienti in lista pre-trapianto[23] e tra quelli trapiantati che sono tornati in emodialisi a causa del rigetto del trapianto ' ' \[132021]

Questa differenza di risultati potrebbe essere legata al fatto che lo studio non ha coinvolto pazienti con rigetto, che avrebbero dovuto comportare un aumento dei casi di depressione tra i soggetti. Si ipotizzano anche le ripercussioni del tempo di attesa del paziente per il trapianto mentre è ancora in trattamento dialitico, come menzionato dagli autori^ ' '[242526) .

Tuttavia, nei pazienti in cui è stata riscontrata la depressione, il gruppo precedente al trapianto di rene presentava i tassi più elevati di questo disturbo a tutti i livelli (Tabella 3), come riportato da altri autori ' ' \[202324]

Le cause di un più alto tasso di depressione tra i pazienti con CRF possono essere legate allo stile di vita acquisito quando hanno iniziato il trattamento dialitico. La restrizione dietetica e idrica, la perdita di autonomia, la diminuzione del reddito mensile, la riduzione dell'interesse sessuale e la paura della morte sono stati identificati come fattori di disturbo depressivo in questa popolazione '[1327] . Altre cause frequentemente correlate alla depressione nei pazienti in trattamento emodialitico sono: i disturbi di malessere, i crampi, i cali improvvisi della pressione arteriosa, la presenza di una fistola arterovenosa e i pregiudizi al momento dell'ingresso nel mercato del lavoro[28] , nonché la scarsa aderenza al trattamento .[29]

I problemi incontrati dai pazienti con malattia renale cronica hanno un impatto negativo sulla loro qualità di vita[5 ' ' '11233031) , 'come si può vedere nella tabella 6, dove praticamente tutti i domini relativi alla qualità di vita erano più bassi rispetto ai pazienti con trapianto di rene, come descritto da altri autori '[2332) .

Un altro motivo di depressione nei pazienti con CRF in lista d'attesa per un trapianto è forse il modo in cui affrontano la nuova situazione. Lo stress vissuto da questi pazienti di fronte alla possibilità di un trapianto potrebbe scatenare un disturbo depressivo ' '[242526) .

Per alcuni pazienti, la lista d'attesa per un trapianto è considerata un simbolo di speranza, di riorganizzazione psichica e sociale. Per altri, invece, può essere vista come l'ultima possibilità[33] .

Vale la pena sottolineare che la depressione può verificarsi anche dopo il trapianto di rene, come dimostrato in alcuni studi ' ' '[2130343536) 'e come osservato in alcuni pazienti di questo studio (tabella 3), nonché in studi su altri tipi di trapianto, come il trapianto di fegato[33], che possono essere spiegati da complicazioni cliniche e/o chirurgiche[22], non aderenza al trattamento [(1336)], cambiamenti corporei [(2235)], l'uso di immunosoppressori [(162122 37] \ o forse la confluenza di tutti questi fattori, oltre a interferire negativamente con la QoL di questi pazienti [(3036] \ Sia la depressione può esprimere l'effetto di uno o più fattori correlati, sia essere la causa di altri problemi. La depressione non trattata può portare al rigetto del trapianto a causa della mancata aderenza al trattamento[13], oltre a essere un fattore di rischio per il suicidio [(3839)]. Allo stesso modo, il rigetto può essere considerato un fattore di rischio per la depressione e il suicidio^ ' -*.[1321]

Per quanto riguarda la durata del tempo trascorso dal trapianto e la sua possibile relazione con i livelli di depressione, è stato osservato che il maggior numero di pazienti trapiantati senza depressione corrispondeva a un periodo superiore a un anno e inferiore o uguale a due anni dopo l'intervento. Questo risultato potrebbe essere legato a un maggiore adattamento ai cambiamenti dello stile di vita dopo un anno dal trapianto, come indicato dagli autori[40]. Il paziente acquisisce maggiore indipendenza[12], grazie alla ridotta frequenza delle visite in ospedale, ha maggiore autonomia nel risolvere i propri problemi personali e nello svolgere le attività quotidiane .[35]

Un'altra ragione potrebbe essere la riduzione delle dosi di immunosoppressori, che normalmente avviene nel tempo, secondo il protocollo di ciascun farmaco, e può essere correlata alla riduzione degli effetti di questi farmaci, come nel caso dei sintomi depressivi[37].

Tuttavia, tra i pazienti trapiantati depressi, la maggior parte lo era durante questo stesso periodo, come riportato in uno studio simile[36 \ Questo giustifica l'insorgere della depressione dopo un anno a causa dell'impatto finanziario legato alla difficoltà di reinserimento nel mercato del lavoro, dello stato fisico del paziente e del trattamento a cui è sottoposto, che influenza la vita familiare e le attività sociali, dei cambiamenti digestivi (costipazione) e delle preoccupazioni come la paura di infezioni e il rigetto del trapianto.

Un'incidenza cumulativa di casi di depressione a tre anni dal trapianto, tuttavia, giustifica l'insorgenza di questo disturbo solo nel primo anno, mettendolo in relazione a fattori quali: il riadattamento alla vita quotidiana, la paura del rigetto e dell'infezione e l'uso di immunosoppressori, nonché i loro effetti avversi[21].

Questo studio ha mostrato che il maggior numero di pazienti senza depressione era in dialisi da meno di quattro anni (Tabella 5), il che differisce dai risultati di altri studi ' ' [(1335383941)] '.

Questo può essere dovuto al fatto che i pazienti si sentono speranzosi di potersi liberare presto di questa situazione, alcuni per la speranza che nutrono in un possibile trapianto ' '[(223542)], altri perché non capiscono cosa significhi avere una malattia renale cronica e le sue implicazioni, pensando quindi che possa esistere una cura e che il trattamento sia temporaneo[24].

Tuttavia, sebbene il maggior numero di pazienti senza depressione fosse in dialisi da meno di

30

quattro anni, paradossalmente anche la maggior parte di quelli con il disturbo era in dialisi per lo stesso periodo, il che è in linea con gli studi precedentemente citati* ' ' ' ^).[433538391]

Si può dedurre che ciò deriva dal modo in cui ogni persona affronta le diverse situazioni. Ogni individuo reagisce in un certo modo quando viene sorpreso dalla notizia che ha una malattia cronica e che avrà bisogno di cure per il resto della sua vita ' ^[(24273)] .

Questa situazione può aggravarsi se si presenta la possibilità di un trapianto: spesso l'individuo non ha nemmeno assimilato la malattia e il trattamento a cui si sottoporrà, e si trova di fronte alla prospettiva di un intervento chirurgico in cui dovrà ricevere un organo da un'altra persona, viva o morta[(44)] .

Tuttavia, stratificando i livelli di depressione nella Tabella 5, si può notare che ci sono stati più casi di depressione lieve nel periodo inferiore ai quattro anni, mentre la maggior parte dei casi di depressione moderata o grave si è verificata nel periodo di otto anni o più. Si deduce che ciò è dovuto al prolungamento dell'attesa nella coda pre-trapianto, che potrebbe portare alla comparsa di comorbilità[(45)] e persino alla morte del paziente, nonché all'aumento dell'incertezza sull'esecuzione del trapianto, a causa dell'incompatibilità del donatore[(20)] .

La Tabella 6 mostra che il gruppo dei trapiantati di rene aveva una migliore qualità di vita, con una differenza statisticamente significativa praticamente in tutti i domini rispetto al gruppo in coda pre-trapianto, il che è in linea con i risultati di alcuni studi ' '[(233132_46)] , ad eccezione degli aspetti sociali e della salute mentale, che avevano percentuali leggermente più alte tra i pazienti in coda pre-trapianto.

Si deduce che la migliore qualità di vita tra i riceventi del trapianto sia dovuta al grado di indipendenza che il trapianto fornisce, quando ha successo, oltre alla minore restrizione alimentare, all'assenza di restrizione idrica e al maggiore benessere fisico, come indicato anche in alcuni studi[(35_40)] .

Tra i domini che si sono maggiormente distinti in questo studio, confrontando i due gruppi, vi sono la vitalità ($p = 0,000$), la capacità funzionale ($p = 0,001$), il dolore ($p = 0,027$) e lo stato di salute generale ($p = 0,049$). In uno studio[29] , non sono state riscontrate differenze statisticamente significative nella qualità della vita quando si sono confrontati gruppi sottoposti a emodialisi, dialisi peritoneale e trapianto di rene. Tuttavia, la componente della vitalità è risultata avere un punteggio più alto nel gruppo sottoposto a trapianto di rene, come è stato riscontrato in questo studio.

Anche un altro studio non ha evidenziato differenze statisticamente significative tra i punteggi della QoL nel confronto tra pazienti pre- e post-trapianto di rene; tuttavia, ha menzionato che i punteggi medi indicavano una differenza positiva nella valutazione della qualità della vita dopo il trapianto[(35)] .

Un terzo studio ha dimostrato che la percezione soggettiva della QoL era correlata negativamente alla presenza di depressione e alla mancanza di supporto sociale[47].

Tuttavia, nonostante il presente studio e molti degli studi già citati mostrino risultati più soddisfacenti in relazione alla QoL tra i pazienti sottoposti a trapianto di rene, vale la pena sottolineare la potenziale compromissione della QoL nel periodo post-trapianto, in considerazione di alcune preoccupazioni peculiari di questo periodo, come i cambiamenti dell'immagine corporea, l'insicurezza per un possibile ritorno alle attività professionali, la paura del rigetto del trapianto e il ritorno alla dialisi, come confermato da alcuni autori ' '(7223235) '.

Per quanto riguarda il dominio dell'aspetto sociale, il punteggio più alto era legato a un piccolo numero di pazienti nella coda pre-trapianto, che presentavano caratteristiche sociali diverse dagli altri, come un reddito più elevato, migliori condizioni abitative, un livello intellettuale più alto e l'accesso a trattamenti sanitari privati o sovvenzionati, che hanno innalzato i punteggi medi in questa componente.

Per quanto riguarda il dominio della salute mentale, è stata riscontrata una differenza anche tra i pazienti in coda e i pazienti trapiantati. Il fatto che questo dominio fosse più alto in questo gruppo non rappresenta una significatività statistica ed è in qualche modo in contrasto con i dati presentati nella tabella 3, che mostrano un numero maggiore di casi di depressione in questa popolazione, nonché con uno studio condotto su pazienti in trattamento dialitico, in cui è stato riscontrato che la presenza di depressione compromette la QoL, soprattutto nei domini della salute mentale e fisica[30].

Uno studio sui predittori della qualità di vita nei pazienti con malattia cronica in emodialisi ha riscontrato punteggi più bassi in relazione alle componenti fisiche e mentali, mettendo in relazione questi risultati con la presenza di comorbidità come il diabete mellito (DM) e la depressione, l'uso di un CDL come accesso vascolare, l'assenza di un'occupazione regolare e un livello di istruzione più basso, che influenzano negativamente la QoL di questo gruppo[23]. Questo studio ha rilevato dati simili in relazione al dominio delle limitazioni fisiche e dati divergenti in relazione al dominio della salute mentale; tuttavia, i risultati non erano statisticamente significativi.

Le tabelle 7 e 8 mostrano che non vi era alcuna significatività statistica in termini di punteggi medi della QoL in relazione al tempo trascorso dal trapianto, secondo un altro studio[47], e al tempo di dialisi.

Per quanto riguarda il trapianto, come già menzionato, uno studio condotto su 166 pazienti trapiantati, il 47% di fegato, il 42,8% di rene e il 10,2% di cuore, ha valutato la relazione tra i livelli di ansia, depressione e QoL e il tempo trascorso dal trapianto. Sono stati riscontrati livelli più elevati di ansia e depressione un anno dopo il trapianto, con ripercussioni negative sulla QoL dei pazienti[36]. Gli autori hanno giustificato i risultati come dovuti alle preoccupazioni sulla possibilità di rigetto, sulle infezioni e sul futuro benessere fisico, sociale e finanziario* \[21-25]

Tuttavia, le preoccupazioni menzionate dai pazienti si realizzano in tutti i periodi post-trapianto e anche prima che il trapianto abbia luogo, in quanto sono preoccupazioni pertinenti in vista della possibilità reale che si verifichino le suddette alterazioni, come indicato in uno studio*[35] , che rafforza i risultati di questo studio.

Per quanto riguarda l'emodialisi, una ricerca*[29-48] * mostra che i pazienti con un periodo più breve di trattamento dialitico avevano punteggi di QoL più elevati, così come i pazienti che non erano stati sottoposti a trattamento dialitico prima del trapianto. Tuttavia, per quanto riguarda i pazienti trapiantati sottoposti a dialisi prima dell'intervento, questo studio non ha rilevato effetti significativi sulla QoL.

2.5 Considerazioni finali:

Lo studio ha dimostrato che la maggior parte dei domini valutati per la qualità della vita erano significativamente migliori tra i pazienti trapiantati rispetto ai pazienti in coda pre-trapianto. È stato inoltre rilevato che la maggior parte dei pazienti, sia in coda che dopo il trapianto, non soffre di depressione. La durata della dialisi e del trapianto non sembra interferire con la percezione che i pazienti hanno della loro condizione emotiva e della loro qualità di vita.

Tuttavia, vorremmo sottolineare l'importanza di valorizzare gli aspetti emotivi e psicosociali, a causa dei cambiamenti che possono verificarsi sia prima che dopo il trapianto renale.

Si ritiene che ulteriori ricerche in quest'area siano di fondamentale importanza per comprendere meglio la gestione del trattamento e dell'assistenza ai pazienti cronici, e si suggerisce un monitoraggio psicologico sistematico da parte di un'équipe multiprofessionale in tutte le fasi del trapianto.

Riferimenti

1   Riella MC. Principi di nefrologia e disturbi idroelettrolitici. Ed. Guanabara Koogan 1996; 3(36): 475 / (48): 639-641.

2   Smeltzer SC, Bare BG. Trattato di infermieristica medica e chirurgica. Guanabara 2002; 9: 1100.

3   Romão Jr JE, Malattia renale cronica: definizione, epidemiologia e classificazione. Brazilian Journal of Nephrology 2004; V. XXVI(3).

4   D'Ávila 1996 In, Riella. Op. Cit.

5   Castro M, Caiuby AVS, Draibe SA, Canziani MEF. Qualità di vita dei pazienti con insufficienza renale cronica in emodialisi valutata con lo strumento generico SF-36. Rev Assoe Med Bras 2003; 49:245-9.

6   Zimmermann, P. R.; Carvalho, J. O. & Mari, J. J. Impatto della depressione e di altri fattori

psicosociali sulla prognosi dei pazienti renali cronici. Revista de Psiquiatria do Rio Grande do Sul 2004; 26(3):312-318.

7   Bittencourt ZZLC, Alves Filho G, Mazzali M, Santos NR. Qualità della vita nei pazienti sottoposti a trapianto di rene: importanza del trapianto funzionante. Rev. Saúde Pública 2004; 38(5): 732-734.

8   Pereira WA, Galazzi JF, Lima AS, Andrade MAC. Trapianto di fegato. In: Pereira WA, organizzatore. Manuale dei trapianti di organi e tessuti. Ed. Medsi 2000; 2:203-37.

9   Butolo-Vido M.Quintella-Femandes R. Qualità della vita: considerazioni sul concetto e sugli strumenti di misura. Online Brazilian Journal of Nursing [serial on the Internet]. 2007 March 13; 6(2).

10 McIntyre T, Barroso R, Lourenço M. Impatto della depressione sulla qualità di vita dei pazienti. Saúde mental 2002, 4(5).

11 Valderrabano F, Jofre R, Lopez-Gomez JM. Qualità della vita nei pazienti con malattia renale in fase terminale. Am J Kidney Dis 2001; 38(3):443-64.

12 Castro EK. Il paziente renale cronico e il trapianto di organi in Brasile: aspetti psicosociali. *Rev. SBPH. yv^.* 2005; 8(1): 1-14.

13 Almeida AM, Meleiro AMAS. Depressione e insufficienza renale cronica. J Bras Nefrol. 2000; 22:192-200.

14 Daugirdas JT. Manuale di dialisi. Ed.Medsi 2003; 3.

15 Manfro, R.C. et al. Manuale del trapianto renale. Ed Manole 2004; 1.

16 Karaminia R, Tavallaii SA, Lorgard-Dezfuli-Nejad M, Lankarani M.M, Mirzaie HH, Einollahi B, and Firoozan A. Anxiety and Depression: A Comparison Between Renal Transplant Recipients and Hemodialysis Patients. Transplantation Proceedings 2007; 39: 1082-1084.

17 Beck, AT, Steer RA, Garbin MG. Proprietà psicometriche del Beck Depression Inventory: venticinque anni di valutazione. Clin. Psychol. Rev. 1988; 8(l):77-100.

18 Gorestein C, Andrade H. Beck Depression Inventory: proprietà psicometriche della versione portoghese. Rev Psiquiatr Clin 1998; 25:245-50.

19 Ciconelli RM. Traduzione e validazione in portoghese del questionario sulla qualità della vita "Medical outcomes study 36-item short form health survey (SF-36)" [tesi di laurea]. Università federale di San Paolo 1999.

20   Akman, B, Ozdemir FN, Sezer S, Micozkadioglu H, Haberal M. Livelli di depressione prima e dopo il trapianto renale. Transplant Proc 2004; 36:111-3.

21   Dobbels F, Skeans MA, Snyder JJ, Tuomari AV, Maclean JR e Kasiske BL. Disturbi depressivi nel trapianto renale: un'analisi delle richieste di rimborso a Medicare. American Journal of Kidney Diseases 2008; 51 (5):819-828.

22   Abrunheiro LMM, Perdigoto R, Sendas S. Valutazione psicologica e follow-up prima e dopo il trapianto di fegato. Psych, Health & Diseases. Novembre 2005; 6(2): 139-143.

23   Barbosa LMM, Júnior MPA, Bastos KA. Predittori della qualità di vita in pazienti con malattia renale cronica in emodialisi. J Bras Nefrol 2007; 29(4).

24   Velloso, Rosana Laura Martins. Effetti dell'emodialisi sul campo soggettivo dei pazienti renali cronici. *Cogito* 2001; 3:73-82.

25   Sasso KD, Galvão CM, Silva Jr OC, França AVC. Trapianto di fegato: risultati di apprendimento per i pazienti in attesa di intervento. Rev. Latino-Am. Enfermagem 2005 Aug; 13(4):481-488.

26   Massarollo MC, Kurcgant P. L'esperienza degli infermieri nel programma di trapianto di fegato di un ospedale pubblico. Rev Latino-am Enfermagem 2000; 8(4):66-72.

27   Higa K et al. Qualità di vita dei pazienti con insufficienza renale cronica sottoposti a trattamento di dialisi. Actapaul. enferm. 2008; 21.

28   Lara EA, Sarquis LMM. Il paziente renale cronico e il suo rapporto con il lavoro. Cogitare Enf. 2004; 9(2):99-106.

29   Sayin A, Mutluay R e Sindel S. Quality of Life in Hemodialysis, Peritoneal Dialysis, and Transplantation Patients. Transplantation Proceedings 2007; 39:3047-3053.

30   Noohi S, Khaghani-Zadeh M, Javadipour M, Assari S, Najafi M, Ebrahiminia M e Pourfarziani V. Ansia e depressione sono correlate a una maggiore morbilità dopo il trapianto di rene. Transplantation Proceedings 2007; 39:1074-1078.

31   Pereira LC, Chang J, Fadil-Romão MA, Abensur H, Araújo MRT, Noronha IL, et al. Qualità della vita correlata alla salute nei pazienti sottoposti a trapianto renale. J Bras Nefrol 2003;25:10-6.

32   Overbeck, M. Bartels, O. Decker, J. Harms, J. Hauss e J. Fangmann. Cambiamenti nella qualità della vita dopo il trapianto renale. Transplantation Proceedings 2005; 37:1618- 1621.

33 Duarte PM, Sankarankutty AK, Silva OC, Gorayeb R, et al. Distress psichico nei pazienti in lista per il trapianto di fegato. Act Cir. Bras. 2006; 21(1).

34 Arapaslan B, Soykan A, Soykan C e Kumbasar H. Valutazione trasversale dei disturbi psichiatrici nei pazienti sottoposti a trapianto renale in Turchia: uno studio preliminare. Transplantation Proceedings 2004; 36:1419-1421.

35 Ravagnani LMB, Domingos NAM, Miyazaki MCOS, Qualità di vita e strategie di coping in pazienti sottoposti a trapianto di rene. Estudos de Psicologia. 2007; 12 (2): 177-184.

36 Pérez-San-Gregorio MA, Martín-Rodríguez A, Díaz-Domínguez R, Pérez-Bemal J. L'influenza dell'ansia post-trapianto sulla salute a lungo termine dei pazienti. Transplantation Proceedings 2006; 38:2406-2408.

37 Rosenberger J, Geckova AM, Dijk JP, Roland R, Heuvel WJA, Groothof JWG Fattori che modificano lo stress da effetti avversi dei farmaci immunosoppressivi nei riceventi di trapianto di rene. Clinicai Transplantation 2004; 19(l):70-76.

38 Moura Júnior JA, Souza CAM, Oliveira IR, Miranda RO, Teles C, Moura Neto JA. Rischio di suicidio nei pazienti in emodialisi: evoluzione e mortalità in tre anni. J. bras. psiquiatr. 2008; 57(1):44-51.

39 Kurella M, Kimmel PL, f Belinda S. Young e Glenn M. Chertow. Suicidio nel programma statunitense per le malattie renali in fase terminale. J Am Soc Nephrol 2005; 16:774-781.

40 Brandão de Carvalho Lira Ana Luisa, Cavalcante Guedes Maria Vilaní, Oliveira Lopes Marcos Venícios de. Adolescenti con malattia renale cronica: cambiamenti fisici, sociali ed emotivi dopo il trapianto. Rev Soc Esp Enferm Nefrol. 2005; 8(4): 12-16.

41 Almeida AM, L'importanza della salute mentale nella qualità della vita e nella sopravvivenza dei pazienti con insufficienza renale cronica. J Bras Nefrol. 2003; 250:209-14.

42 Pietrovsk V, DalfAgnol CM. Situazioni significative nello spazio-contesto dell'emodialisi: cosa dicono gli utenti del servizio? Rev. bras. enferm. [serial on the Internet]. 2006 Oct; 59(5):630-635.

43 Amato MS, Amato NV, Uip DE. Valutazione della qualità di vita dei pazienti con malattia di Chagas sottoposti a trapianto di cuore. Rev. Soc. Bras. Med. Trop. 1997; 30(2): 159-160.

44 Mendes AC, Shiratori K. Le percezioni dei pazienti sottoposti a trapianto di rene. Rev Nursing. 2002; 5 (44): 45-51.

45 Morsch C, Gonçalves L F, Barros E. Indice di gravità della malattia renale, indicatori di cura e mortalità nei pazienti in emodialisi. Rev. Assoe. Med. Bras. 2005 Oct; 51(5):296-300.

46 Virzi A, GiammarresiSignorelli MS, Veroux MG, Maugeri S, Nicoletti A, Veroux P. Depressione e qualità di vita nel trapianto renale da vivente. Transplantation Proceedings 2007; 39 (6): 1791-1793.

47 Shah VS, Ananth A, Sohal GK, Bertges-Yost W, Eshelman A, Parasuraman RK e Venkat KK. Qualità della vita e fattori psicosociali nei riceventi di trapianto renale. Transplant Proc. 2006; 38:1283-1285.

48 Cattai GBP, Rocha FA, Nardo Júnior N., Pimentel GGA. Qualità della vita nei pazienti con insufficienza renale cronica - SF-36. Cienc Cuid Saude 2007; 6(2):460-467.

CAPITOLO 3

A- Modulo di consenso informato

B- Modulo di caratterizzazione del campione

TERMINE DI CONSENSO LIBERO E INFORMATO (TCLE)

PROGETTO

DEPRESSIONE E QUALITÀ DI VITA NEI PAZIENTI PRIMA E DOPO IL TRAPIANTO DI RENE

Nome dell'autore: **Patrícia Madruga Rêgo Barros**
Nome del supervisore: **Luciane Soares de Lima**
Indirizzo: Rua Capitão Ponciano 63, Barro - Recife - PE - CAP: 50780-040
 Telefono di contatto: (81) 3251.1936 e-mail: patricia-madruga@hotmail.com

Lo scopo dello studio era analizzare la depressione e la qualità della vita nei pazienti prima e dopo il trapianto di rene.

Lo studio sarà condotto presso la clinica per *i trapianti di rene dell'*Hospital das Clínicas Recife - Pernambuco.

I dati saranno raccolti utilizzando un modulo composto da domande chiuse e inventari specifici per analizzare la qualità della vita e la depressione.
Questi dati saranno utilizzati per preparare una tesi di master.
La ricerca sarà gratuita per voi e non riceverete alcun pagamento per la vostra partecipazione.

Le informazioni ottenute attraverso lo studio saranno mantenute riservate e la privacy dei partecipanti sarà rispettata. Lo studio potrà essere pubblicizzato in occasione di eventi o pubblicazioni scientifiche, pur mantenendo l'identità dei partecipanti.

L'applicazione dello strumento di raccolta dei dati può causare imbarazzo ai pazienti, costituendo un rischio minimo per il campione, ma essi potranno ritirarsi dallo studio in qualsiasi momento senza mettere a rischio la loro assistenza. I risultati della ricerca potrebbero contribuire a migliorare la qualità delle cure fornite ai destinatari, evitando o riducendo i problemi di salute.

Ho letto e compreso le informazioni sopra descritte e accetto liberamente di partecipare allo studio in questione.

Recife de de.

Intervistato   Intervistatore

Testimone   Testimone

38

MODULO DI RACCOLTA DATI

Data di raccolta _____ //Registro   :

DATI DI IDENTIFICAZIONE

I. Numero di cartella clinica: _____

II. Età: _____

III. Sesso: 1 Maschio □2   Femmina □

IV. Professione: _____

V. Occupazione: _____

VI. Istruzione:

    1 □ analfabeta4   □ 2° grado o scuola superiore

    2 □ Alfabetizzazione5   □ 3° laurea o superiore

    3 □ 1° grado o scuola elementare 6 □ Diploma post-laurea.

VII. Risiede: 1 □ Regione metropolitana di Recife (comune):

        2 □ Altro

VIII Reddito mensile:_____

IX . Condizioni abitative:

    1 Dispone di acqua potabile e di servizi igienici di base completi

    2 Ha l'elettricità

    3 Casa in muratura

    4 Casa in terra battuta

X . Tempo di dialisi: _____

XI Tipo di trattamento dialitico attuale:

    1 Tempo nCAPD: 3 □ Tempo DPI:

    2 Tempo di emodialisi: 4 □ Tempo di DPA:

                    5 □ Non applicabile

XIL Malattia di base:

    1 □ INDETERMINATO6   □ RENI   POLICISTICI

    2 GNC7   □LES

    3 □ HA8   □UROPATIA   +PNC

    4 DM9 □   ALTRO

    5 □ NEFRITE INTERSTIZIALE

XIIL Tipo di trapianto:

1 □ Donatore vivente collegato 2 □ Donatore vivente non consanguineo	3 □ Donatore cadavere

XIV. Tempo di trapianto:

ALLEGATI

39

A- Approvazione del Comitato Etico della Ricerca

B- Questionario SF-36 sulla qualità della vita

C- Inventario della depressione di Beck (BDI)

Of. N. º 007/2008 - CEP/CCS

Recife, 06 de outubro de 2008

Registro do SISNEP FR – 126414
CAAE – 0049.0.172.000-07
Registro CEP/CCS/UFPE Nº 051/07
Título: "Depressão e Qualidade de Vida em Pacientes no Pré e Pós-Operatório de Transplante Renal de um Hospital Universitário de Recife-PE "

Pesquisador Responsável: Patricia Madruga Rêgo Barros Duarte

Senhora Pesquisadora:

Informamos que o Comitê de Ética em Pesquisa envolvendo seres humanos do Centro de Ciências da Saúde da Universidade Federal de Pernambuco (CEP/CCS/UFPE) analisou e aprovou a modificação do título da pesquisa "Depressão e Qualidade de Vida em Pacientes no Pré e Pós-Operatório de Transplante Renal de um Hospital Universitário de Recife-PE".

Atenciosamente

Prof. Geraldo Bosco Lindoso Couto
Coordenador do CEP/ CCS / UFPE

A
Dra. Patricia Madruga Rêgo Barros Duarte
Programa de Pós-Graduação em Ciências da Saúde – CCS/UFPE

Nome	RG_
Indirizzo	TEL
_____ Data// **Esaminatore**	

ISTRUZIONI: Questo sondaggio le chiede informazioni sulla sua salute. Queste informazioni ci terranno informati su _come si_ sente e su come **riesce** a svolgere le attività della vita quotidiana. La preghiamo di rispondere a ciascuna domanda segnando la risposta indicata. Se non è sicuro di _come_ rispondere, cerchi di farlo al meglio.

1. In generale, si direbbe che la salute sia:
(cerchiare uno)

    Eccellente 1
    Molto bene 2
    Buono 3
    Male 4
    Molto male 5

2. **Rispetto a un anno fa,** come giudica il suo stato di salute generale?
(cerchiare uno)

    Molto meglio ora che un anno fa 1
    Un po' meglio ora che un anno fa 2
    Quasi lo stesso di un anno fa 3
    Un po' peggio di un anno fa 4
    Molto peggio di un anno fa 5

3. Le seguenti voci riguardano attività che attualmente può svolgere durante una giornata normale. A causa della **sua salute, ha** difficoltà a svolgere queste attività? Se sì, quanto?

(cerchiare un numero su ogni lato)

Attività	Sì. È molto difficile	Sì. Piccole difficoltà	No. Non rende le cose più difficili
A) **Attività vigorose che** richiedono uno sforzo notevole, come correre, sollevare oggetti pesanti, praticare sport faticosi.	1	2	3
B) **Attività moderate,** come spostare un tavolo, passare l'aspirapolvere, giocare a palla, spazzare la casa.	1	2	3
C)**Sollevare** o **trasportare** forniture	1	2	3
D) Salire **diverse rampe di** scale	1	2	3
E) Salire **una rampa di** scale	1	2	3
F) Inchinarsi, inginocchiarsi o piegarsi	1	2	3
G) Camminare **per più di 1 chilometro**	1	2	3
H) Camminare per **diversi isolati**	1	2	3
I) Camminare **per un isolato**	1	2	3
J) Fare il bagno o vestirsi	1	2	3

4. Durante le **ultime 4 settimane,** ha avuto uno dei seguenti problemi _con il_ lavoro o con qualsiasi attività quotidiana regolare **a causa della sua salute fisica?**

(cerchiare _un_ numero _in_ ogni riga)

	Sì	No
A) Avete ridotto **la quantità di tempo** che dedicate al vostro lavoro o ad altre attività?	1	2
B) Avete svolto **meno compiti** di quelli che avreste voluto?	1	2
C) È stato **limitato** _nel_ suo tipo di lavoro o in altre attività?	1	2
D) Ha trovato **difficoltà** a svolgere il suo lavoro o altre attività (ad esempio, ha dovuto fare _uno_	1	2

sforzo supplementare)?		

5. Nelle **ultime 4 settimane**, ha avuto uno dei seguenti problemi *con il* lavoro o con altre attività quotidiane regolari a causa di **un problema emotivo** *(ad esempio, si è* sentito depresso o ansioso)?

(cerchiare un numero in ogni riga)

	Sì	No
A) Avete ridotto la **quantità di tempo** che dedicate al vostro lavoro o ad altre attività?	1	2
B) Avete svolto **meno compiti** di quelli che avreste voluto?	1	2
C) Non ha lavorato o svolto nessuna delle attività **con** *la stessa* **attenzione con cui lo** fa di solito?	1	2

6. Nelle ultime 4 settimane, in che modo la sua salute fisica o i suoi problemi emotivi hanno interferito con le sue normali attività sociali con la famiglia, i vicini, gli amici o in gruppo?

(cerchiare uno)

Per niente 1
Leggermente 2
Moderatamente 3
Abbastanza 4
Estremamente 5

7. Quanto **dolore corporeo** ha avuto nelle **ultime 4 settimane?**

(cerchiare uno)

Nessuno 1
Molto leggero 2
....Luce3
Moderato 4
....Tomba5
Muitograve 6

8. nelle **ultime 4 settimane,** quanto il dolore ha interferito *con il* suo normale lavoro (compreso il lavoro esterno e interno)?

(cerchiare uno)

....Per niente1
Un ....po'2
....Moderatamente3
....Molto4
....Esfre^mente5

9. Queste domande riguardano il suo stato d'animo e l'*andamento delle* **ultime** *4* **settimane.** Per ogni domanda, la preghiamo di dare la risposta che più si avvicina al suo stato d'animo.

(cerchiare un numero per ogni riga)

	Sempre	Il più delle volte	Buona parte del tempo	Alcune del volte	Una piccola parte del	Nwica

					tempo	
A) Da quanto tempo vi sentite pieni di vigore, pieni di volontà, pieni di forza?	1	2	3	4	5	6
B) Da quanto tempo si sente molto nervoso?	1	2	3	4	5	6
C) Da quanto tempo vi sentite così depressi che nulla riesce a tirarvi su?	1	2	3	4	5	6
D) Per quanto tempo vi siete sentiti calmi o tranquilli?	1	2	3	4	5	6
E) Per quanto tempo vi *siete* sentiti energici?	1	2	3	4	5	6
F) Da quanto tempo vi sentite scoraggiati e giù di corda?	1	2	3	4	5	6
G) Per quanto tempo vi siete sentiti esausti?	1	2	3	4	5	6
H) Per quanto tempo vi siete sentiti una persona felice?	1	2	3	4	5	6
I) Da quanto tempo si sente stanco?	1	2	3	4	5	6

10. Nelle ultime 4 settimane, per quanto tempo la sua salute fisica o i suoi problemi emotivi hanno interferito con le sue attività sociali (come visitare amici, parenti, ecc.)?

(cerchio mm)

.... Sempre 1
La maggior parte delle volte 2
Alcune .... volte 3
Una piccola parte del .... tempo 4
Nessuna parte del .... tempo 5

11. 0 quanto è vera o falsa ciascuna delle affermazioni per voi?

	Decisamente vero	Il più delle volte vero	Non lo so	Il più delle volte falso	Sicuramente le ali
A) Tendo ad ammalarmi un po' più facilmente di altre persone.	1	2	3	4	5
B) Sono in buona salute come chiunque altro conosca.	1	2	3	4	5
C) Penso che la salute peggiorerà.	1	2	3	4	5
D) La mia salute è eccellente	1	2	3	4	5

LINEE GUIDA PER IL PUNTEGGIO SF-36

Domanda	Punteggio
01	1=>5.02=>4.43=>3.44=>2. 05 =>1.0
03	Somma nonml
04	SomaNornal
05	SomaNornal
06	1=>52=>43=>34=>25=>1
07	1=>6.02=>5.43=>4.24=>3.15=>2.26=>1.0
08	Se 8=>1e 7=>1=======>61=>6.0 Se 8=>1e 7->2 a 6=====>52=>4 ,75 Se 8=>2e 7=>2 fino a 6=====>43=>3 ,75Se la domanda 07 non Se si risponde 8=>3e7=>2a6=====>34=>2.,25 Se 8=>4e7=>2 a 6=====>25=>1.0 Se 8=>5e 7=>2 a 6=====>1

44

09	A, D, E, H = valori di contorno (1=6, 2=5, 3=4,4=3, 5=2, 6=1) Vitalità = A + E + G + I Salute mentale = B + C + D + F + H
10	SommaNominale
11	Somma di: A + C (valori nominali) B + D (valori dei contorni: 1=5, 2=4, 3=3, 4=2, 5=1)

Articolo	Domanda	Limiti	Intervallo di punteggio
Capacità funzionale	3	10,30	20
Aspetto fisico	4	4,8	4
Il dolore	7 + 8	2,12	10
Stato di salute generale	1 + 11	5,25	20
Vitalità	9 A, E, G, I	4,24	20
Aspetti sociali	6 + 10	2,10	8
Aspetto emotivo	5	3,6	3
Salute mentale	9 B, C, D, F, H	5,30	25

Scala delle righe:

Es: $\quad$ Articolo $= \dfrac{\text{[Valore ottenuto - Valore più basso]} \times 100}{\text{Variazione}}$

Es: Capacità funzionale $= 21$

$\qquad$ Valore più basso $= 10$

$\qquad$ Variazione $= 20$

$\dfrac{21 - 10}{20} \times 100 = 55$

Dati persi:
Se la risposta è superiore al 50% = sostituire con la media 0 = punteggio peggiore 100 = punteggio migliore

CICONELLI, R.M.- Traduzione in portoghese e convalida del questionario generico sulla qualità della vita "Medical Outcomes Study 36- Item Short Form Health Survey (SF-36)". Tesi di dottorato, Università Federale di San Paolo, 143 pagine, 1997.

Inventario della depressione di Beck (BDI)

Questo questionario è composto da 21 gruppi di affermazioni. Dopo aver letto attentamente ogni gruppo, cerchiate il numero (0, 1, 2 o 3) davanti all'affermazione di ogni gruppo che meglio descrive il modo in cui vi siete sentiti questa settimana, compreso oggi. Se diverse affermazioni di un gruppo sembrano applicarsi allo stesso modo, cerchiate ognuna di esse. Prima di scegliere,

leggete attentamente tutte le affermazioni di ciascun gruppo.

1.0 Non mi sento triste.
  1 Mi sento triste.
  2 Sono sempre triste e non riesco ad uscirne.
  3 Sono così triste o infelice che non riesco a sopportarlo.

2.0 Non sono particolarmente avvilito per il futuro.
  1 Mi sento sconfortato per il futuro.
  2 Non credo di avere nulla di cui rallegrarmi.
  3 Trovo il futuro senza speranza e ho l'impressione che le cose non possano migliorare.

3.0 Non mi sento un fallito.
  1 Credo di aver fallito più della media delle persone.
  2 Quando guardo indietro alla mia vita, vedo solo molti fallimenti.
  3 Penso di essere un completo fallimento come persona.

4.0 Mi piace tutto come prima.
  1 Non mi diverto più come una volta.
  2 Non trovo un vero piacere in nient'altro.
  3 Sono insoddisfatto o annoiato da tutto.

5,0 Non mi sento particolarmente in colpa.
  1 A volte mi sento in colpa.
  2 La maggior parte delle volte mi sento in colpa.
  3 Mi sento sempre in colpa.

6,0 Non credo di essere punito.
  1 Penso che potrei essere punito.
  2 Penso che sarò punito.
  3 Penso che mi stiano punendo.

7,0 Non mi sento deluso da me stesso.
  1 Sono deluso da me stesso.
  2 Sono disgustato da me stesso.
  3 Mi odio.

8. 0 Non mi sento peggio di chiunque altro.
  1 Sono critico con me stesso a causa delle mie debolezze o dei miei errori.
  2 Mi rimprovero sempre per le mie colpe.
  3 Mi incolpo di tutto ciò che accade di brutto.

9,0 Non ho alcun pensiero di uccidermi.
  1 Ho l'idea di uccidermi, ma non lo farei mai.
  2 Vorrei uccidermi.
  3 Mi ucciderei se ne avessi la possibilità.

10. 0 Non piango più del solito.
  1 Piango più di prima.
  2 Ora piango sempre.
  3 Una volta riuscivo a piangere, ma ora non ci riesco nemmeno se voglio.

11.0 Non sono più arrabbiato di quanto non lo sia mai stato.

1 Mi infastidisco o mi irrito più facilmente di un tempo.
2 In questi giorni mi sento sempre irritabile.
3 Non mi infastidiscono assolutamente le cose che prima mi infastidivano.

12.0 Non ho perso interesse per le altre persone.
   1 Sono meno interessato agli altri di quanto non lo fossi prima.
   2 Ho perso la maggior parte del mio interesse per le altre persone.
   3 Ho perso ogni interesse per le altre persone.

13,0 Prendo decisioni più o meno bene come prima.
   1 Rimando le mie decisioni più di quanto non facessi prima.
   2 Trovo più difficile prendere decisioni rispetto a prima.
   3 Non riesco più a prendere decisioni.

14,0 Non sento di avere un aspetto peggiore di quello che avevo prima.
   1 Mi preoccupo di sembrare vecchia o poco attraente.
   2 Sento che ci sono cambiamenti permanenti nel mio aspetto che mi rendono poco attraente.
   3 Mi considero brutto.

15.0 Riesco a lavorare più o meno bene come prima.
   1 Devo fare uno sforzo in più per iniziare qualcosa.
   2 Devo lavorare sodo per fare qualcosa.
   3 Non posso lavorare.

16. 0 Dormo bene come al solito.
   1 Non dormo più bene come una volta.
   2 Mi sveglio un'ora o due prima del solito e faccio fatica a riaddormentarmi.
   3 Mi sveglio diverse ore prima rispetto al passato e faccio fatica a riaddormentarmi.

17,0 Non mi stanco più del solito.
   1 Mi stanco più facilmente di prima.
   2 Mi sento stanco a fare quasi tutto.
   3 Sono troppo stanco per fare qualcosa.

18,0 Il mio appetito non è peggiore del solito.
   1 Il mio appetito non è più buono come una volta.

   2 Il mio appetito ora è molto peggiorato.
   3 Non ho più appetito.

19,0 Ultimamente non ho perso molto peso, se non nulla.
   1 Ho perso più di 2,5 kg.
   2 Ho perso più di 5,0 kg.
   3 Ho perso più di 7,5 kg.

Sto deliberatamente cercando di perdere peso mangiando meno: SI () NO ()

20,0 Non mi preoccupo della mia salute più del solito.
   1 Mi preoccupo di problemi fisici come dolori, disturbi di stomaco o stitichezza.
   2 Sono molto preoccupata per i problemi fisici ed è difficile pensare ad altro.
   3 Sono così preoccupato dai miei problemi fisici che non riesco a pensare ad altro.

21,0 Non ho notato alcun cambiamento recente nel mio interesse sessuale.

1 Il sesso mi interessa meno di un tempo.
2 In questi giorni il sesso mi interessa molto meno.
3 Ho perso completamente interesse per il sesso.

Milton Keynes UK
Ingram Content Group UK Ltd.
UKHW010850280324
440101UK00001B/142